Coordinadores: Pedro Badía y María Vieites

EVALUACIÓN, RESULTADOS ESCOLARES Y SISTEMAS EDUCATIVOS

Análisis y alternativas

ISBN: 978-84-9987-007-6
Depósito Legal: M-5965-2011
Printed in Spain
Impreso en España por: Publicep

Índice

INTRODUCCIÓN. *Rosa Eva Díaz Tezanos* 11

PRESENTACIÓN. *Pedro Badía y María Vieites* 15

I. **PROCESOS DE MEJORA BASADOS EN LOS DATOS. LA MEJORA DEL SISTEMA EDUCATIVO COMO PROCESO DERIVADO DE LOS RESULTADOS DE LA EVALUACIÓN.**
Antonio Bolívar 17

1. Introducción 19
2. Relevancia de los resultados 21
3. Nuevos modos de regulación de las políticas educativas centrados en los resultados 22
4. Datos, sí, pero, ¿para qué los datos? 24
5. Tomar los datos (externos e internos) como base para iniciar procesos de mejora 26
6. Referencias 30

II. **PISA Y OTRAS EVALUACIONES EN ESPAÑA: EL EJEMPLO DE CANTABRIA.**
Alonso Gutiérrez Morillo y Ramón Ruiz Ruiz 31

1. Introducción 33

2. Algunos datos 35
 2.1. PISA 2006 (www.educantabria.es) 35
 2.2. Evaluación de Diagnóstico (www.educantabria.es). 35
 2.3. Evaluación General de Diagnóstico 37
 2.4. Plan de autoevaluación de centros... 37
 2.5. Evaluación del clima y la convivencia escolar de los centros educativos de Cantabria 37
3. Algunos resultados... 38
 3.1. PISA 2006... 38
 3.2. Evaluación de Diagnóstico.. 41
 3.3. Evaluación General de Diagnóstico 43
 3.4. Evaluación del clima y la convivencia escolar de los centros educativos de Cantabria 44
4. Políticas educativas desde la evaluación 45
 4.1. Políticas de carácter general 46
 4.2. Centros educativos 46
 4.3. Alumnado 47
 4.4. Profesorado.. 47
 4.5. Refuerzo de la competencia lectora....................................... 48
 4.6. Modernización del sistema educativo 48
5. Referencias 49

III. LOS RIESGOS DE LA EVALUACIÓN.
 Miguel Ángel Santos Serra 51

1. Las trampas del lenguaje. ¿De qué evaluación hablamos?.................. 53
2. Las finalidades de la evaluación. ¿Para qué evaluamos?.................... 54
3. Los peligros de la atribución. ¿De quién es la culpa?......................... 55
4. El contexto de la evaluación. ¿Dónde se realiza la evaluación?.......... 55
 4.1. El contexto cultural 56
 4.2. El contexto institucional 56
5. Desigualdad de las evaluaciones. ¿Cómo castigar una realidad a través de la evaluación? 57
6. Las relaciones con el poder. ¿A quién sirve la evaluación?................. 57
7. La cultura de los titulares. ¿Qué se dice de la evaluación? 58
8. El efecto Mateo. ¿A quién beneficia la evaluación?........................... 59
9. Los riesgos de la cuantificación. ¿Por qué la obsesión por los números? .. 60
10. Los problemas de metaevaluación. ¿Quién evalúa la evaluación?........... 62
11. Referencias 63

IV. LA ORGANIZACIÓN ESCOLAR Y LOS TIEMPOS ESCOLA-RES EN SU RELACIÓN CON LOS RESULTADOS ESCOLARES.
José Antonio Caride Gómez 65

1. Acerca del valor del tiempo en la sociedad y en la educación 67
2. Del tiempo escolar como cantidad al tiempo escolar como calidad de las enseñanzas y los aprendizajes.. 68
3. La necesidad de repensar los ritmos escolares 70
4. Referencias 73

V. LOS RESULTADOS ESCOLARES Y LA INFLUENCIA DEL CURRÍCULO.
Marta Soler 75

1. Mejora de resultados educativos y comunidad científica 77
2. "Streaming" y organización del aula en la actualidad 80
   2.1. Comparación de escuelas "streaming" y no "streaming"................. 80
   2.2. Influencia del grupo de iguales... 80
   2.3. Eficiencia y equidad 81
   2.4. Sensaciones del alumnado y del profesorado............................ 81
3. El "mixture" dentro de la estructura actual del sistema educativo 82
4. "Inclusion" como método actual de organización del aula........................ 82
5. Cómo la organización del aula afecta a los grupos vulnerables 83
6. Formación y participación de las familias como estrategia para mejorar el rendimiento escolar 84
7. Conclusiones... 86
8. Referencias 87

VI. ¿CÓMO INFLUYE LA CONDICIÓN SOCIAL Y ECONÓMICA DEL ALUMNADO EN LOS RESULTADOS ESCOLARES?
Jorge Calero 89

1. Introducción.. 91
2. Datos, variables y metodología.. 92
3. Resultados... 93
4. Algunas implicaciones para la política educativa.................................... 94
5. Referencias 95

VII. RESULTADOS ESCOLARES: UN INDICADOR PARA LA MEJORA
Fernando Sánchez-Pascuala Neira 101

1. Modelos explicativos de los resultados escolares 103
2. Los resultados educativos en Castilla y León 107
3. Políticas y actuaciones con impacto en los resultados 110

VIII. UN SISTEMA ESCOLAR DE ÉXITO
M. Orcariz 113

1. Asegurar la equidad 116
2. Favorece la innovación 117
3. Busca la excelencia 118

IX. METAPOLÍTICAS PARA EL ÉXITO ESCOLAR
Francisco López Rupérez 119

1. Introducción 121
2. La noción de metapolítica y su incidencia en los sistemas educativos 123
3. Definir mejor las prioridades 124
4. Basar las políticas en evidencias 127
5. Adoptar enfoques sistémicos 128
6. Evaluar y tomar en consideración el impacto de las políticas 131
7. A modo de conclusión 132

X. LAS POLÍTICAS EDUCATIVAS Y LOS RESULTADOS ESCOLARES
Felipe Gómez Valhondo 133

1. Tecnologías de la información y la comunicación 135
   1.1. Infraestructuras tecnológicas 135
   1.2. Nuevos retos 136
2. Idiomas 138
   2.1. Plan Linguaex 139
   2.2. Acciones PAP 139
3. Atención a la diversidad 140
   3.1. Red de centros 140

3.2. Atención individualizada 140

3.3. Jornada continuada 141

3.4. Programa de refuerzo (escuela rural) 141

4. Participación 142

4.1. Convivencia 143

4.2. Plan Regional de Convivencia 144

4.3. Acuerdo educativo 145

5. Medidas educativas 145

5.1. Plan específico de refuerzo (PEREX) 145

5.2. Planes generales de refuerzo 146

6. Resultados educativos 147

7. Ley de Educación de Extremadura 147

XI. INFLUENCIA DEL GÉNERO EN EL RENDIMIENTO ESCOLAR. ¿REALIDAD O LEYENDA INTERESADA?
Carmen Rodríguez Martínez 149

1. Nuevo protagonismo de los rendimientos escolares 151

2. Diferencias en rendimientos y escuelas segregadas 153

3. Evolución de las diferencias entre alumnos y alumnas en la cultura escolar 157

4. Referencias 161

XII. ¿QUÉ PUEDEN APORTAR LAS TIC Y LAS REDES DE INNOVACIÓN A LA MEJORA DE LA CALIDAD DEL SISTEMA EDUCATIVO?
Mariano Segura 165

1. La escuela en la sociedad del conocimiento 167

2. Las TIC y la escuela 168

3. Tipologías de uso de las TIC en la escuela 171

4. Barreras para la implantación de las TIC en la institución escolar 175

5. Conclusiones 177

XIII. ¿PUEDE LA IMPLICACIÓN DE LOS PADRES MEJORAR EL CLIMA ESCOLAR Y LOS RESULTADOS?
Alfred Fernández 179

1. Introducción: resultados – noción de calidad 181
2. La participación de los padres con un enfoque de derechos........................ 183
3. Conclusiones: falta de información y ausencia del enfoque de derechos... 187

XIV. LAS COMUNIDADES DE APRENDIZAJE. UNA APUESTA POR
      LA IGUALDAD EDUCATIVA
      Ramón Flecha García y Lídia Puigvert... 193

1. La transformación de escuelas en comunidades de aprendizaje................. 195
2. Las fases de la transformación.. 195
3. Los grupos interactivos.. 197
4. La participación de las familias 198
5. Referencias 199

XV. EL COMPROMISO DOCENTE CON LA JUSTICIA SOCIAL Y
     EL CONOCIMIENTO
     Juan Carlos Tedesco.. 201

1. Introducción... 203
2. Principales rasgos de la situación de los docentes 203
3. Los docentes y la cultura postmoderna 207
    3.1. El compromiso social 209
    3.2. El compromiso con el conocimiento... 212
4. Reflexión final... 214

XVI. LAS EVALUACIONES INTERNACIONALES. EL GRAN
      DESCUBRIMIENTO MEDIÁTICO DEL SIGLO XXI
      Pedro Badía Alcalá... 215

INTRODUCCIÓN

El libro que ahora tienen en sus manos es el resultado de las ponencias e intervenciones del Seminario patrocinado por la Consejería de Educación del Gobierno de Cantabria: "Evaluación, resultados escolares y sistemas educativos. Análisis y alternativas", que se celebró en la Universidad Internacional Menéndez Pelayo entre los días 19 y 23 de julio de 2010, bajo la dirección de Pedro Badía y María Vieites.

En él participaron especialistas en temas educativos de la talla de Juan Carlos Tedesco, Alejandro Tiana, Miguel Ángel Santos Guerra, Enrique Roca, Antonio Bolívar, Elena Martín, Ramón Flecha o Antonio Caride, junto con representantes de la Consejería de Educación. Sin duda sus intervenciones fueron de lo más esclarecedoras, como podrá comprobarse a lo largo de las páginas de este libro.

Es cierto que la evaluación educativa, su significado, su carácter, su alcance... es un tema de marcada actualidad en el panorama educativo de nuestro país. Y tal vez esto sea así, entre otras razones, porque el sistema educativo español, a diferencia de los sistemas educativos de otros países de la Unión Europea, ha sido uno de los sistemas educativos menos evaluado. En los comienzos del siglo XXI, a raíz de la aprobación de la Ley Orgánica de Educación y de la participación en la Evaluación Internacional PISA de la OCDE, parece que vamos avanzando significativamente en la dirección de incorporar los procesos de evaluación a la rutina de nuestro sistema educativo.

En este sentido, la LOE estableció la importancia de poner en marcha mecanismos de evaluación y rendición de cuentas (evaluaciones de diagnóstico), como complemento a la deseada y necesaria autonomía de los centros.

En consonancia con ello, la Ley de Educación de Cantabria de diciembre de 2008 señala, como uno de sus principios fundamentales, el de "la responsabilidad y el control democrático". Responsabilidad entendida como esfuerzo compartido por todos los agentes educativos en la consecución de una educación de calidad para todo nuestro alumnado. Control democrático entendido como los mecanismos que se han de poner en marcha para conseguir que la educación, como servicio público que es, responda a los retos que la sociedad le demanda desde el análisis, la reflexión y la mejora continua de nuestro sistema educativo.

Este compromiso con la evaluación comenzó en Cantabria en el primer momento que asumimos las responsabilidades de la Administración educativa, y ya en el curso 2004-2005 pusimos en marcha el Plan de Autoevaluación de Centros Educativos de Cantabria. En el curso 2005-2006 participamos por primera vez en la evaluación PISA de la OCDE, participación que hemos repetido en 2009.

En la actualidad, aparte de los procesos que acabo de señalar, Cantabria está desarrollando las evaluaciones de diagnóstico de 4º de Primaria y 2º de Educación Secundaria Obligatoria, otras evaluaciones más sectoriales y la Evaluación General de Diagnóstico, en colaboración con el Instituto de Evaluación.

De este modo, el Plan de Actuación 2007-2011 de la Consejería de Educación sitúa a la "Evaluación del sistema educativo" como uno de sus ejes transversales. Este plan asume que la cultura de la evaluación es una de las herramientas más potentes con que cuenta la comunidad educativa de Cantabria para conocer y reflexionar sobre las fortalezas y debilidades de nuestro sistema educativo y para tomar decisiones fundadas que favorezcan el éxito educativo de todo nuestro alumnado.

Para ello, estamos convencidos de que las evaluaciones no pueden quedarse en la simple publicación de datos e informes; si esto es así, su incidencia en los procesos educativos será mínima. Los procesos de evaluación, según la naturaleza de cada uno de ellos, tienen que servir para que la Administración y toda la comunidad educativa (profesorado, familias, alumnado…) tengan información fiable y contrastada que les permita tomar decisiones de manera fundamentada.

En consonancia con este compromiso, desde la Consejería de Educación hemos puesto en marcha un conjunto de acciones en relación con la organización de los centros, el liderazgo pedagógico, la formación de las familias, las orientaciones didácticas y metodológicas, los tiempos escolares, la formación del profesorado, o con el incremento de la comunicación entre los diferentes sectores de la comunidad educativa. Todas estas acciones contribuyen al fin último que perseguimos, que no es otro que el de lograr una educación de calidad para todo el alumnado de Cantabria, desde la inclusividad y la equidad.

En definitiva, debemos conocer para actuar. Actuar desde los diferentes sectores de la comunidad educativa. Actuar desde la implicación, el compromiso profesional, la corresponsabilidad y el optimismo.

Y en esta compleja tarea, los procesos de evaluación nos pueden servir de guía si verdaderamente son analizados con la profundidad necesaria y con una visión global capaz de interrelacionar las diferentes variables que condicionan el sistema educativo y la institución escolar.

Rosa Eva Díaz Tezanos
Consejera de Educación del Gobierno de Cantabria

PRESENTACIÓN

Si el año 2009 fue el de las evaluaciones, el año 2010 ha sido sin duda el de los resultados, análisis, reflexiones y conclusiones para buscar soluciones y alternativas a los problemas y a los déficit del sistema educativo español, un sistema organizado sobre diecisiete comunidades autónomas que comparten ley orgánica, y también algunos problemas estructurales, en algunos casos endémicos.

No podemos centrar las evaluaciones y las valoraciones de las competencias y del rendimiento de los alumnos y alumnas sólo en los resultados escolares. Estos no se dan por sí solos, sino en relación a un conjunto de variables que marcan decididamente el funcionamiento del sistema educativo y de la institución escolar: la formación del profesorado, la organización escolar, el valor del tiempo en la educación, el currículum y la condición social y económica del alumnado.

Tendremos que reflexionar y explorar las vías alternativas que puedan aportar elementos de mejora a la calidad de un servicio educativo público: las competencias básicas, las TIC, las políticas educativas, la participación de las familias y la función social y política del profesorado.

En una época de grandes turbulencias económicas y sociales, todas las ideas apuntan a más y mejor educación para salir de la crisis. Esto significa más y mejor evaluación y sobre todo evaluación centrada en las variables decisivas para mejorar el sistema educativo.

Todos los ponentes invitados al seminario, cuyas intervenciones publicamos en este libro, han estado o están relacionados con estudios relativos a esta temática, o están investigando sobre ella, por lo que sus ponencias aportan ideas para la reflexión, que hacen más vivo el debate educativo y más ricas las conclusiones que presentamos.

Pedro Badía y María Vieites

Capítulo I
PROCESOS DE MEJORA BASADOS EN LOS DATOS. LA MEJORA DEL SISTEMA EDUCATIVO COMO PROCESO DERIVADO DE LOS RESULTADOS DE LA EVALUACIÓN

Antonio Bolívar.
Universidad de Granada

1. INTRODUCCIÓN

Defiendo que no puede prosperar un amplio movimiento en mejora escolar si no está basado en la evidencia de los datos, entendidos en sentido amplio. Muchas discusiones improductivas, sobre distintas opiniones e intuiciones, se acaban si se ponen *los datos en el centro de la mejora*. Aquello que haya que hacer o no, la toma de decisiones y el valor de las acciones emprendidas deben estar basados en datos, al tiempo que la mejora debe ser juzgada en función de ellos. En fin, los datos deben formar parte de un proceso de cambio educativo: recoger información, interpretarla y analizarla y emplearla para hacer un uso informado en la enseñanza sobre las decisiones mejores a tomar. No cabe conocer la mejora producida si no se cuenta con datos de los resultados obtenidos. Esto nos llevó a dedicar un Monográfico de *Escuela* al tema (Bolívar, 2010).

Sin embargo, nuestro sistema educativo en sus diversos niveles (administración central o autonómica, centros educativos, directivos, profesorado) padece una endémica falta de datos y, cuando se dispone de éstos, aparece un deliberado propósito de que permanezcan ocultos. Por tradición, no son los datos (por ejemplo, procedentes de una evaluación) los que están en la base de la toma de decisiones en nuestro sistema educativo en todos los niveles (política educativa, centro, aula). Así, habitualmente, las decisiones (cambio de leyes, normativa, decisiones a nivel de centro o aula) se han tomado al margen de lo que pudieran indicar los datos procedentes de las evaluaciones.

Es preciso saber de qué situación se parte, conocer las áreas fuertes y aquellas otras necesitadas de mejora, para ajustar estructuras y prácticas, de manera que pueden tener un impacto positivo en los resultados de los alumnos. Se trata de hacer un uso informado, a partir de datos, en la toma de decisiones, como ya se ha convertido en un lema o corriente en el ámbito anglosajón (*Data-driven decision making*).

Resulta, pues, necesario recoger y recopilar información, cada cierto tiempo, que contribuya a a ver el progreso y mejora de las acciones educativas desarrolladas. En lugar de tomar la visibilidad de los datos como una posible amenaza, es preciso verlos como un estímulo imprescindible en los esfuerzos de mejora, al tiempo que un medio para asegurar una equidad y calidad en la educación ofrecida. Los datos de la evaluación forman parte, entonces, de una estrategia deliberada para la mejora.

Se ha insistido en que la evaluación ha de ser un instrumento para tomar decisiones; sin embargo, la realidad nos muestra que siguen siendo excepcionales las decisiones que se adoptan a partir de procesos sistemáticos de recogida y análisis de información. ¿Cómo pueden o deben incidir de modo real en el currículo impartido? ¿Cómo generar una acción conjunta del profesorado dirigida a incrementar los aprendizajes de los alumnos? (San Fabián, 2010).

La tendencia actual en las políticas educativas es otorgar mayores márgenes de autonomía a los centros, pero, paralelamente, mayor responsabilización en los procesos y resultados que reflejan los datos o evaluaciones. Esta presión por los resultados se ha convertido en una nueva "ortodoxia" del cambio educativo. Por un lado, es evidente, puede ser expresión en el ámbito educativo de la performatividad dominante en la sociedad; por otro, es también un modo "realista" de enfocar el trabajo en educación.

La verdadera cuestión que hemos de plantearnos, creo, es qué se puede hacer, aquí y ahora, para dinamizar el sistema educativo (más específicamente los institutos de Educación Secundaria), más allá de la confianza en el voluntarismo del profesorado, de modo que todo centro pueda garantizar un "éxito educativo para todos los alumnos". Más específicamente en nuestro tema, ¿qué papel deban jugar los datos procedentes de las evaluaciones? Tres líneas de acción conjuntas se dibujan al respecto:

1. Poner los datos en el centro de la mejora
2. Autonomía de los centros y liderazgo pedagógico de la dirección
3. Evaluación y rendimiento de cuentas

Un amplio movimiento a nivel internacional, de escaso eco aún en España, ha contribuido a situar los resultados de aprendizaje en el centro de la mejora. Se estima que la mejora escolar requiere, como primer paso, poner los datos en el centro de la mejora (Earl y Katz, 2006; Goldring y Berends, 2008), lo que ha dado lugar incluso a revisiones en manuales específicos sobre el tema (Kowalski, y Lasley, 2008). Se parte de que no cabe conocer la mejora producida si no se cuenta con datos y éstos deben formar parte de una estrategia deliberada para la mejora. Al tiempo, como hemos señalado y desarrollamos posteriormente, de una regulación por normas, predominante hasta ahora en nuestro sistema, se está pasando a una regulación por resultados. Al tiempo, paralelamente, los procesos de mejora por implicación, trabajo en equipo y autoevaluación, a partir de un diagnóstico de la situación y revisión posterior, han incidido igualmente en el empleo de datos.

Sin duda, esto requiere establecer una cultura de uso de los datos como componente crítico de los esfuerzos de mejora, actualmente muy alejada, como hemos señalado, de la cultura predominante en los centros educativos. Recoger información, interpretarla, analizarla y emplearla para hacer un uso informado en las decisiones mejores a tomar.

2. RELEVANCIA DE LOS RESULTADOS

Arrastramos en España una crítica de que los resultados no importan porque, por ejemplo, se aduce, responden a una visión productivista de la educación. Con ello, como señala Escudero (2010), se suele "arrojar al niño con el agua sucia" de la bañera. En estos casos, como suele comentar en sus conferencias Ramón Flecha, lo mejor es una estrategia personal: "para tu hijo/a los resultados no te importan". Pero, como es de esperar, aduce que sí le importan los resultados que obtiene su hijo o hija, cabe argumentar, en la regla de oro de kantiana, que dichos resultados los queremos para todos los hijos de todas las familias. Y es por eso por lo que importa conocerlos: para que, si es posible, ninguno quede sin tener garantizados los conocimientos imprescindibles.

Si bien los usos de los resultados de pruebas externas tienen sus "peligros", como en otra intervención resalta Santos Guerra, lo peor es que no haya ningún sistema de evaluación. No cabe, en efecto, peligros cuando no existen, de manera formalizada, sistemas de evaluación. Los datos aportados por una evaluación son una oportunidad para sacar provecho. Lo que se hace o pone en marcha debe ser juzgado por los efectos. Un servicio público, como es la educación (junto con sanidad), es preciso que sea conocido por sus resultados, como único modo de asegurar una equidad del derecho a la educación de la ciudadanía. Precisamente, en aquellos casos en los que se denota que no está suficientemente satisfecho dicho derecho, se deben tomar iniciativas para compensar dicha equidad en educación.

Resaltar la relevancia de los resultados supone que las escuelas y su profesorado tienen una responsabilidad en el aprendizaje de los alumnos, junto a otros "factores asociados". Si bien, la propia Administración ha de tomar sus medidas (por ejemplo, ante el "fracaso escolar"), esto no exime de que lo que se haga en el aula influye directamente en lo que los alumnos aprenden.

En cualquier caso, se requieren previamente procesos internos de autoevaluación para que los datos externos puedan surtir algún efecto (Elmore, 2003). Como ha defendido David Nevo, siempre que estemos en un contexto alejado de control y presión, los datos procedentes de evaluaciones externas pueden servir para un diálogo con los procesos de autoevaluación interna.

3. NUEVOS MODOS DE REGULACIÓN DE LAS POLÍTICAS EDUCATIVAS CENTRADOS EN LOS RESULTADOS

Desengañados de que una regulación burocrática por normas (y su posterior cumplimiento fiel) pueda mejorar la educación, una estrategia no burocrática o postburocrática se ha dirigido a dar mayores niveles de autonomía a los centros escolares para la toma de decisiones pero, a cambio, rendir cuentas de los resultados obtenidos. Ase ha pasado así de una regulación por normas, a una regulación por resultados. De este modo, al igual que sucede en ámbitos no educativos, de una reglamentación de la educación (con un control a priori y nula preocupación por los resultados) se aboga por un *nuevo modo de regulación*: una mayor autonomía para el desarrollo de los procesos y, a cambio, un creciente y rígido control de la eficacia y eficiencia en los resultados.

Si una regulación jerárquico-burocrática se rige por normas uniformadas para todos, asegurando su cumplimiento; actualmente en una regulación "postburocrática" las normas son muy escasas, lo que importa son los resultados. La primera se sitúa al principio, sin importarle las posibles diferencias finales; en la otra, no hay normas dadas al comienzo a respetar, al contrario, se goza de amplios niveles de autonomía, lo que importa es dar cuenta de los resultados conseguidos. De modo simplista, pero evidente, podemos ejemplificarlo en el siguiente cuadro.

	Burocrática	Postburocrática
Normas	Alta regulación	Escasa. Autonomía
Resultados	No importan	Clave
Evaluación	Grado cumplimiento normativa	Grado consecución de resultados

Administración	Supervisar y asegurar el cumplimiento formal	Controlar resultados y tomar medidas para equidad
Modelo	*Egalité republicaine*, nuevos centralismos	"Nueva gestión pública" y autonomía
Tendencia actual	Modelo agotado, en descrédito	Enfoque predominante

En el modelo jerárquico-burocrático la administración pública evalúa y supervisa a los actores locales, según el grado de cumplimiento de la normativa. Así, normalmente a través de la Inspección educativa, en una regulación burocrática, como la que hemos tenido hasta ahora, se asegura el cumplimiento uniforme u homogéneo de la normativa; en una postburocrática, lo que importa es asegurar en los resultados una equidad de la ciudadanía, tomando medidas con aquellos centros que no consiguen las expectativas.

Derivado de una idea francesa (la *égalité républicaine*) se ha entendido como una exigencia de igualdad que todos los centros escolares estén regulados y cumplan la misma normativa y reglas. Un fantasma: los hechos demuestran en todos los lugares que no ha sido capaz de garantizarla (ese persistente fracaso escolar en torno al 30%) y, lo que es peor, en muchos casos la ha acrecentado (tratar igual lo que es diferente se convierte en discriminador, cuando no en un mecanismo de exclusión). Esto último ha provocado como salida: posibilitar proyectos diversos, adecuados a cada realidad, pero que –observémoslo– ya no podrían cumplir las mismas reglas, a riesgo de negar dicha diversidad.

A este modelo "postburocrático" se la ha llamado también *nueva gestión pública* (*"new public management"*) o también "nueva gobernanza" en los servicios públicos y, por lo que nos concierne, en la educación, orientada a incrementar la eficacia y la eficiencia de dicha administración. Habrá que repensar cuántas energías y horas se han perdido en controlar centros y docentes, en lugar de haber favorecido apoyos y promoción de buenas prácticas.

La autonomía, por eso, no supone que cada centro haga lo que quiera, sino acordar unas metas o niveles a conseguir, dejando en manos del centro la flexibilidad necesaria para lograrlos, con los apoyos necesarios. Tiene, pues, su contrapartida en la evaluación: rendir cuentas de los resultados alcanzados. De este modo, una vez concretadas las propuestas de acción en el Proyecto educativo de centro, en una especie de "contrato-programa" de autonomía, ha de negociarse y acordarse con la Administración educativa. Esta idea de "contratos-programa" está presente en algunos países (Portugal, Francia), propuesta en la Ley de Educación de Cataluña, desarrollada ampliamente en el Decret 102/2010 d'autonomia dels centres educatius de Cataluña y recogida por el MEC, tras el fracaso del pacto social y político por la educación, en el "*Plan de acción 2010-2011*", dentro de los "*Objetivos de la Educación para la década 2010-2020*" (aprobado por el Consejo de Ministros de 25/06/2010). Así, dentro del Objetivo General 7, señala como medida 5:

Impulsar contratos-programa plurianuales, entre las Administraciones educativas y los centros, con la oportuna financiación, recursos humanos y materiales necesarios y la gestión flexible de los mismos, así como los apoyos técnicos y la formación del profesorado, para conseguir, en particular, el incremento del éxito escolar del alumnado.

Estos acuerdos suponen, como corresponsabilidad, situar los resultados conseguidos en el incremento del éxito escolar del alumnado en el centro del programa (objetivos y evaluación). A cambio de los recursos aportados por la Administración, el centro se compromete a aplicar el plan de actuaciones acordado y a rendir cuentas a la comunidad escolar y a la administración educativa. La eventual renovación del acuerdo de corresponsabilidad permanece sujeta al resultado de la evaluación.

4. DATOS, SÍ, PERO, ¿PARA QUÉ LOS DATOS?

De entrada cabe afirmar que sin una idea y objetivos claros, inmersos en un proceso y compromiso por la mejora, los datos sirven para poco. Como señala Escudero (2010) no se trata ahora de sustraer tiempos, recolectando datos, para tareas alejadas de la enseñanza. Al contrario, se trata de mejorar la enseñanza a partir de lo que indican los datos. Por tanto, los datos que se recojan deben ser aquellos que sirvan para ver cómo van las cosas y por qué. En cualquier caso, han de estar al servicio de planes estratégicos de acción. Estos datos han de ser múltiples, por recoger la propuesta de Escudero, cabe señalar:

— Datos demográficos sobre el alumnado: sus contextos sociales y familiares, condiciones de vida, trayectoria escolar.

— Datos que reflejen percepciones y valoraciones de diferentes sujetos sobre diversos aspectos (directivos, profesorado, alumnado, familias, inspección, formadores y asesores, sobre la educación).

— Datos sobre estructuras y procesos escolares: proyectos de centro y proyectos pedagógicos, programas o medidas específicas, metodologías de enseñanza en las aulas, etapas, materias o áreas.

– Datos sobre resultados escolares: aprendizajes de los estudiantes a lo largo de las etapas y en momentos clave de transición entre ellas, de la enseñanza regular y de los programas especiales, de graduación y transición a otros estadios formativos.

Estos datos pueden proceder, en primer lugar, de las acciones específicas que ponga en marcha el profesorado o la dirección para "producirlos", particularmente de las *autoevaluaciones* que hace el profesorado de modo colectivo (a nivel de grupo, ciclos, departamentos o centro) sobre los efectos de las prácticas docentes desarrolladas. Al respecto importa mucho revisar, en las sesiones de evaluación de grupo, los resultados obtenidos en cada materia, comparándolos intergrupos. También de las *evaluaciones externas*, actualmente de las Evaluaciones Diagnóstico que se desarrollan en cada Comunidad. En el referido *"Plan de acción 2010-2011"* del MEC se señala: "tenemos que instaurar la cultura de la autoevaluación y de la evaluación externa como un elemento fundamental para conocer tanto el funcionamiento general del sistema educativo, como la adquisición de las competencias básicas por parte del alumnado" (p. 15).

La evaluación de centros y de la práctica docente, como he señalado en otro lugar (Bolívar, 2008), se puede razonablemente defender con un doble objetivo:

a) Asegurar una calidad de la educación (entendida en sentido amplio), para lo cual deberá tener en cuenta tanto su impacto en la mejora de los aprendizajes del alumnado, como en el desarrollo profesional e institucional.

b) Garantizar una equidad en educación, es decir el derecho a la educación de "todos" los alumnos, aun cuando haya otros factores asociados, como el contexto sociocultural, que deban ser tenidos en cuenta.

En uno y otro caso, deberá poder capacitar a centros y profesores para conseguir los niveles exigidos. Una evaluación no se justifica si no da lugar a acciones posteriores para la mejora por parte de los que han llevado a cabo. Como defiende Elmore (2003: 12): "si se quiere mejorar los aprendizajes de los estudiantes y el rendimiento de la escuela, en su lugar (*quid pro quo*), se debe invertir en capacitar a los centros y al profesorado para lograr los estándares exigidos". Por tanto, conviene advertirlo, una evaluación de rendimientos escolares sólo puede contribuir a la mejora si no se limita a constatar resultados, sino que tiene una estrategia decidida para capacitar para la mejora y que puedan lograrlos. Si se exigen determinados niveles de resultados en el alumnado de un centro, por ejemplo, en un contrato-programa, pero los profesores no aprenden a trabajar de modo diferente y los centros continúan con la actual organización, no se podrá responder, como se pide, a las presiones de rendimiento de cuentas. Este es el *quid pro quo*, que exige –por tanto– plantear el rendimiento de cuentas de otro modo, como una "responsabilidad compartida", como he defendido en otro lugar (Bolívar, 2003).

Un rendimiento de cuentas genuino ocurre, pues, cuando hay formas establecidas para proveer una mejor educación, al tiempo que modos de intervención en aquellos casos en que no sucede. Los datos de evaluación de centros escolares son, sin duda, necesarios, en la medida que proporcionan información tanto de lo que están consiguiendo los alumnos y de cómo la escuela lo está sirviendo. Pero los datos son sólo parte de un proceso que debiera ser más global. Quedarse sólo en ellos no sería un rendimiento de cuentas recíproco. La política educativa de evaluación de escuelas no puede comenzar y acabar con los test. Al contrario, los resultados han de ser punto de partida para la toma de decisiones. Entre ellas, la primera, capacitar al profesorado y dotar de medios a la escuela, que le permitan mejorar y responder a los resultados demandados. Los datos procedentes de la evaluación externa se convierten así en un indicador sobre dónde hay que poner los medios (humanos, materiales y actuaciones sociales) que permitan asegurar, si no la igualdad, una equidad propia de una sociedad democrática.

Además de este principio de reciprocidad o responsabilidad compartida, una evaluación de centros para que pueda ser un medio para garantizar el "derecho a la educación" de todos, debe cumplir un conjunto de condiciones:

a) Versar sobre contenidos y capacidades entendidas en sentido amplio, no limitadas a conocimientos en matemáticas o lengua.

b) Tener en cuenta el contexto de cada centro, por lo que las pruebas estandarizadas han de ser moduladas según cada contexto.

c) En lugar de orientarse a clasificar centros para provocar la competencia o dar criterios de elección a las familias, hacer un diagnóstico para apoyar a los centros que no los consiguen.

5. TOMAR LOS DATOS (EXTERNOS E INTERNOS) COMO BASE PARA INICIAR PROCESOS DE MEJORA

La evaluación de los procesos de enseñanza-aprendizaje del alumnado, en sentido formativo, debe permitir obtener información para tomar las decisiones oportunas, en una reflexión sobre la práctica desarrollada. Sin embargo, la evaluación individual no es sostenible en el tiempo. De "el maestro investigador" hemos pasado, más realistamente, al trabajo conjunto en torno a proyectos comunes. Una reflexión sobre la práctica acerca del impacto que hayan tenido en el aprendizaje de los alumnos y en otras dimensiones educativas sólo encaja plenamente en proyectos desarrollados conjuntamente, ya sea a nivel de ciclo, departamento o centro. La mejora de la práctica educativa se tiene que inscribir en la mejora institucional de la organización. De ahí la necesidad de un compromiso por generar un trabajo en equipo o en colaboración que contribuya a hacer más efectivo al centro escolar como conjunto.

Los datos externos, enviados a los centros escolares, si éstos no tienen institucionalizados procesos previos de autoevaluación sirven de poco. Sin dispositivos internos para su autorrevisión, no se podrá sacar partido, en un diálogo constructivo, a cualquier informe de evaluación externa. Aprendiendo de los fracasos conviene recordar lo que sucedió con el primer plan sistemático de evaluación de centros (Plan EVA en el Ministerio). Al no preocuparse por crear los necesarios procesos internos de revisión, los datos de las evaluaciones enviados a los centros, quedaban –en muchos casos– a nivel anecdótico. En este sentido, como determina Elmore (2003): "el rendimiento de cuentas interno precede al rendimiento de cuentas externo y es una precondición para cualquier proceso de mejora" (p. 28).

Entre evaluación externa y autoevaluación, conviene dar prioridad a la segunda. La escuela no podrá dar respuesta a los datos aportados externamente si no cuenta con procesos de autorrevisión, así como con capacidad de mejora para traducirlos en planes de acción concretos y efectivos. En suma, si no hay capacidad interna de mejora malamente van a conseguir las presiones externas que la organización responda exitosamente en el sentido deseado por las presiones procedentes de rendimiento de cuentas externos.

Sin embargo, como he resaltado en otro trabajo (Bolívar, 2008), la autoevaluación no es vía regia para la mejora. De hecho, sin una "cultura de evaluación" en cada centro escolar y en la propia profesión docente, por lo demás difícil de establecer a la vez que costosa en el tiempo y energías invertidas, no tendrán lugar de modo sistemático y sostenible en el tiempo. Cuando el modo habitual de trabajo es aislado e individualista, la autoevaluación no funciona a menos que haya incentivos y apoyo externo o, en otra dirección, se camine a un rediseño organizativo de los centros y del trabajo docente en línea con la configuración de la escuela como una "comunidad profesional de aprendizaje". Lo que sucede es que no es algo a pretender en todos los centros, sino a construir en cada uno, con sus distintos ritmos y proceso de desarrollo. Institucionalizar procesos y equipos internos de autoevaluación es, en ese sentido, generar procesos de innovación y mejora, para lo que deben tener con los oportunos apoyos de asesoría, entre los que se cuenta los datos provenientes de evaluaciones externas

La autoevaluación institucional supone (San Fabián, 2010) que los centros son capaces de evaluar sus niveles de calidad; por otra, que son capaces de establecer planes de mejora de su funcionamiento: "la capacidad para diagnosticar su propia situación, establecer planes de actuación y hacer el seguimiento de los mismos configura el núcleo de la autonomía reguladora de los centros" (p. 10). Los centros educativos, con los necesarios apoyos externos, han de construir su propia capacidad de cambio, como único modo de responder en esta época a los problemas y demandas externas. Si las escuelas no tienen la capacidad para la mejora, resultarán infructuosos los esfuerzos externos y el propio trabajo innovador fácilmente quedará marginalizado.

La *revisión interna basada en la escuela* (otra forma de denominar la autoevaluación en la literatura sobre mejora escolar), como proceso de trabajo, normalmente, parte de un *diagnóstico inicial* del centro que aporte evidencias de lo que está pasando, para detectar necesidades y problemas que, una vez sea compartido por el grupo, debe inducir a establecer planes futuros para la acción. Inmersa en "espiral" en el propio proceso de desarrollo institucional, se van revisando y recogiendo información colegiadamente sobre la puesta en marcha de los planes de acción, qué va pasando, de qué forma y por qué, identificando prioridades, revisando y planificando sucesivamente lo que se ha hecho o se debiera/acuerda hacer. Podemos ejemplificarlo en la figura 1

Figura 1. Proceso cíclico de autoevaluación

El proceso de autoevaluación, que tiene en su centro los aprendizajes y rendimiento del alumnado, como ejemplifica la figura, comienza con la revisión y diagnóstico (¿Dónde nos encontramos ahora) del estado actual de nuestro centro y su funcionamiento, por parte del grupo de profesores, y emprender acciones de mejora en aquellos aspectos que se consideren prioritarios. Como tal requiere el compromiso de todos o una mayoría de los miembros para analizar reflexiva y cooperativamente donde se está, por qué y cómo se ha llegado, valorar los logros y necesidades y determinar qué cosas podemos ir haciendo mejor dentro de lo posible: ¿Cómo van las cosas en el centro?, ¿qué va funcionando aceptablemente?, ¿qué cosas necesitarían mejorar?, ¿estamos haciendo lo que querríamos hacer?, etc.

A su vez precisamos, en paralelo, una visión de dónde quisiéramos estar. Sin unas expectativas en el camino a recorrer los datos del diagnóstico tienen escaso valor para generar un proceso de mejora. De ahí que sea tan importante que los equipos directivos, en un ejercicio de liderazgo, generen dicha visión e impliquen al conjunto de la escuela. Las acciones de mejora se dirigen a distintas parcelas de la realidad, de acuerdo con las necesidades o prioridades sentidas, sobre las que se intenta construir modos de hacer comunes, por lo que el Proyecto educativo a largo plazo, se concreta en el tiempo (planes estratégicos) en sucesivos "proyectos" focalizados de acción, como puede ser –por referirnos a algo institucional– los Proyectos de Dirección de un equipo directivo. Como "viaje de la mejora escolar", también debe contar, con una perspectiva estratégica a largo plazo (¿a dónde iremos después?).

Por lo demás, entre nosotros, San Fabián y Granda (2008) han desarrollado una Guía de autoevaluación de centros, como modo para responder a las necesidades surgidas en el proceso de asesoramiento a centros que se autoevalúan. En ella se sugieren, igualmente, varias fases, que pueden ser abordadas de diferentes formas y tiempos por los centros.

Para terminar. Cuando lo que está en juego es garantizar el derecho a la educación de todos los alumnos y alumnas, entendido –desde una mirada europea– como el dominio de unos niveles aceptables de competencias básicas; esto no puede ser dejado a lo que cada centro determine o quiera comprometerse, aún cuando sin su compromiso e implicación se irá poco lejos. Al respecto, se requieren datos de evaluaciones externas que puedan poner de manifiesto que dicho derecho no está siendo garantizado para un cierto número. En su lugar, pues, se deberá exigir a la respectiva escuela que presente contratos-programa para conseguir el éxito educativo. Paralelamente, además de una buena formación del profesorado, se requiere una política de apoyo en aquellos casos en que se precise.

6. REFERENCIAS

Bolívar, A. (2003). Si quiere mejorar las escuelas, preocúpese por capacitarlas. *Profesorado. Revista de Currículum y Formación del Profesorado, 7* (1-2), pp. 75-89. Disponible en: http://www.ugr.es/~recfpro/Rev71ART4.pdf Consultado el 22/02/2008.

Bolívar, A. (2008). Evaluación de la práctica docente. Una revisión desde España. *Revista Iberoamericana de Evaluación Educativa* (RIEE), 1 (2), 19 pp. Disponible en: http://rinace.net/riee/numeros/vol1-num1.html

Bolívar, A. (coord.) (2010). Procesos de mejora basados en datos. *Monográfico Escuela*, febrero. Madrid: Wolters Kluwer.

Earl, L. & Katz, S. (2006). *Leading schools in a data-rich world: Harnessing data for school improvement*. Thousand Oaks: Corwin Press.

Elmore, R.E. (2003). Salvar la brecha entre estándares y resultados. El imperativo para el desarrollo profesional en educación. *Profesorado. Revista de Currículum y Formación del Profesorado, 7* (1-2), pp. 9-48. Disponible en http://www.ugr.es/~recfpro/rev71ART1.pdf

Escudero, J.M. (2010). Poner los datos en el centro de la mejora escolar. *Monográfico Escuela*, febrero, 4-5. Madrid: Wolters Kluwer.

Goldring. E.B. y Berends, M. (2008). *Leading With Data. Pathways to Improve Your School*. Thousand Oaks, CA: Corwin Press.

Kowalski, T. y Lasley, T. (eds.) (2008). *Handbook of Data-Based Decision Making in Education*. Nueva York: Routledge.

MEC (2010). *Objetivos de la Educación para la década 2010-2020. Plan de acción 2010-2011*. Consejo de Ministros de 25 de junio de 2010.

San Fabián, J. L. (2010). Evaluación interna y mejora de los centros educativos. *Monográfico Escuela*, febrero, 9-11. Madrid: Wolters Kluwer.

San Fabián, J. L. y Granda, A. (2008). *Autoevaluación de Centros Educativos*. Consejería de Educación y Ciencia del Principado de Asturias. Disponible en http://blog.educastur.es

Capítulo II
PISA Y OTRAS EVALUACIONES EN ESPAÑA: EL EJEMPLO DE CANTABRIA

Alonso Gutiérrez Morillo
Ramón Ruiz Ruiz
Consejería de Educación. Gobierno de Cantabria

1. INTRODUCCIÓN

El trabajo que ahora tienen en sus manos es el resumen de la ponencia presentada el 19 de agosto de 2010 en el curso de verano "Evaluación, resultados escolares y sistemas educativos. Análisis y alternativas" celebrado en la Universidad Internacional Menéndez Pelayo de Santander, bajo la dirección de Pedro Badía y María Vieites.

Los procesos de evaluación en el ámbito educativo se sitúan en estos momentos en un lugar preferencial de actuación, tanto desde las políticas institucionales como desde la investigación educativa. Asumimos que esto es así por dos razones fundamentalmente: la primera porque la educación, en una sociedad democrática avanzada como la nuestra, debe entenderse como un servicio público que como cualquier otro, tiene que rendir cuentas a la sociedad que la sustenta acerca de sus logros, sus problemas y, también, de la gestión de los recursos públicos que gestiona; la segunda porque los centros educativos han de adaptarse cada vez más a una cambiante realidad, tanto externa como interna, lo que sólo pueden hacer si gozan de una autonomía pedagógica y organizativa cada vez mayor. Sin autonomía este proceso de adaptación al cambio deviene lento y en la mayoría de los casos ineficaz, por lo que mayores cotas de autonomía llevan necesariamente a procesos de evaluación más continuos y más integrados en la vida de los centros.

En definitiva, una mayor autonomía conlleva una mayor responsabilidad y, en este contexto, la evaluación se convierte en la herramienta indispensable que conjuga el conocimiento con la capacidad de actuar.

Por estas razones, la evaluación de los aprendizajes, la evaluación de los centros educativos, la evaluación de los programas y planes educativos, la evaluación de los sistemas educativos son objeto hoy de un firme interés que se pone de manifiesto no sólo en el creciente número de procesos de evaluación puestos en marcha o que se pondrán en un futuro próximo, sino también, en el gran esfuerzo investigador que tiene la evaluación en su sentido más amplio, como objeto de estudio.

Hasta no hace mucho, evaluar significaba evaluar al alumnado, evaluar los resultados académicos como referente único de las bondades o deficiencias de un sistema educativo. Hoy sabemos que los sistemas y las organizaciones educativas son mucho más complejos que lo que nos dicen unos simples resultados académicos. Es más, estos resultados, para bien o para mal, son el reflejo de esos procesos, complicados y confusos que organizan la vida de nuestros centros educativos.

En este sentido, el conocimiento de los sistemas educativos es un requisito fundamental para poder implementar políticas educativas, que defendemos que han de estar presididas por el compromiso con el éxito educativo de todo el alumnado desde la equidad y la atención a la diversidad.

Por estas razones, entre otras, se hace necesaria la evaluación. Pero una evaluación que aborde los procesos desde una visión global, no muchos procesos de evaluación que tratando parcelas concretas yuxtapongan, simplemente, sus resultados.

En síntesis, las aportaciones de los distintos procesos de evaluación a la mejora de los sistemas educativos pueden sintetizarse como la necesidad de:

– Conocer y diagnosticar la situación en la que estos sistemas se encuentran.
– Mejorar la organización y el funcionamiento de los centros educativos.
– Tomar decisiones fundamentadas.
– Mejorar la calidad y la equidad de los sistemas educativos.

Para poder llevar a cabo estos presupuestos la Consejería de Educación del Gobierno de Cantabria ha puesto en marcha o participa, desde el año 2004, en los siguientes procesos de evaluación:

– Evaluación internacional PISA (OCDE).
– Evaluaciones de Diagnóstico
– Plan de autoevaluación de centros.
– Evaluación del clima y la convivencia escolar de los centros educativos de Cantabria
– Evaluación de los planes institucionales
– Evaluación de los resultados académicos del alumnado de Cantabria.
– Seguimiento de los departamentos didácticos: Matemáticas y Lengua Castellana y Literatura.

2. ALGUNOS DATOS

Una vez que hemos descrito en el apartado anterior los presupuestos teóricos de los que partimos y enumerado los procesos de evaluación desarrollados desde la Consejería de Educación de Cantabria, pasaremos ahora a enunciar algunos datos que caracterizan estos procesos.

2.1. PISA 2006 (www.educantabria.es)

La evaluación PISA 2006 fue la primera en la que el sistema educativo de Cantabria participó con una muestra ampliada que permitió extraer datos significativos para nuestra región. Esta muestra estuvo compuesta por 1.496 alumnos/as que representaban a una población de 4.534 jóvenes nacidos en 1990 (gráfico 1)

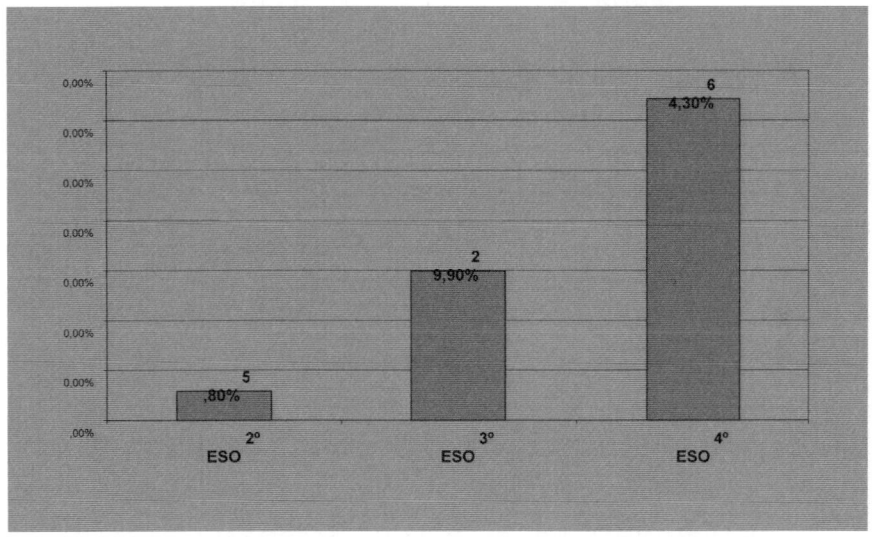

Gráfico 1.- Porcentaje de alumnos/as de Cantabria evaluados en PISA 2006 por curso

2.2. Evaluación de Diagnóstico (www.educantabria.es).

Con carácter general, las pruebas se han aplicado a todo el alumnado matriculado en 4º de Educación Primaria y en 2º de ESO en el curso escolar 2008-2009: 4.617 alumnos/as de 4º de Primaria y 4.196 de 2º de ESO, evaluándose dos competencias: competencia en comunicación lingüística en lengua castellana y competencia matemática.

La contextualización de los resultados de estas evaluaciones es especialmente importante, por lo que la participación de los directores, las familias (a través de sus hijos e hijas) y de los tutores/as cumplimentando el cuestionario de contexto se hacía esencial para poder elaborar el Índice Socioeconómico y Cultural (ISEC) de los alumnos/as, de los centros y de la región. Como puede verse en los gráficos 2 y 3 la participación de estos colectivos, tanto en Primaria como en Secundaria, ha sido elevada.

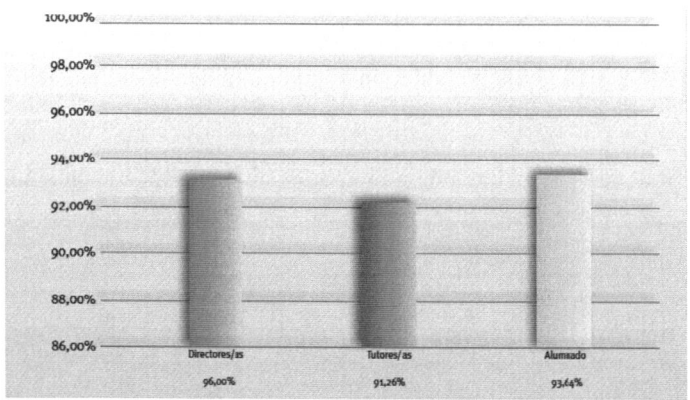

Gráfico 2. 4º de Primaria.
Participación en la evaluación de contexto

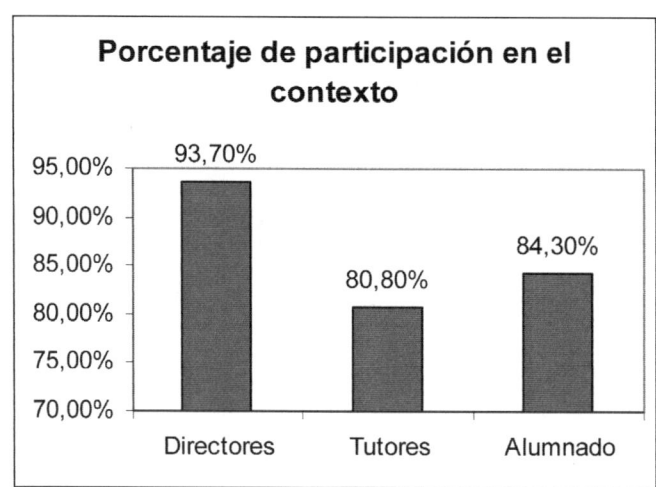

Gráfico 3. 2º de ESO.
Participación en la evaluación de contexto

2.3. Evaluación General de Diagnóstico

En la Evaluación General de Diagnóstico 2009 de 4º de Educación Primaria (www. institutodeevaluacion.educacion.es), Cantabria participó con una muestra de 1.563 alumnos/as, 1448 familias, 75 profesores/as y 50 directores/as.

De igual manera, en la Evaluación General de Diagnóstico se realizó un cuestionario de contexto para poder enmarcar los resultados en la realidad socioeconómica del alumnado.

2.4. Plan de autoevaluación de centros

El Plan de autoevaluación de centros, entendido como un proceso de autoevaluación institucional, se ha estado desarrollando en Cantabria desde el año 2006 y en él han participado 100 centros, 3.700 alumnos/as, 2.800 familias, 1.400 profesores/as y 127 PAS.

Con esta evaluación se pretende que los centros conozcan desde dentro su propia realidad educativa y convivencial, tomen conciencia de ella y actúen en consecuencia mediante la implementación y desarrollo de distintos Planes de Actuación. Estos planes ha estado relacionados fundamentalmente con la acción tutorial, la convivencia escolar, el funcionamiento de los órganos del centro, el proyecto educativo de centro y el proyecto curricular y la relación del centro educativo con las familias.

2.5. Evaluación del clima y la convivencia escolar de los centros educativos de Cantabria

Para conocer el clima y la convivencia escolar de los centros educativos de Cantabria se han llevado a cabo dos estudios que han implicado al alumnado (2.500 alumnos/as), al profesorado (212 profesores/as) y a las familias (1.007 familias), de una muestra de 40 centros públicos y 12 centros concertados.

3. ALGUNOS RESULTADOS

Hecha esta breve descripción de los procesos de evaluación que se están desarrollando en Cantabria, abordaremos ahora los resultados más relevantes que se desprenden de ellos.

3.1. PISA 2006

El rendimiento medio en la competencia científica de Cantabria en PISA 2006 fue de 509 puntos en la competencia científica y 502 puntos en la competencia matemática; ambos resultados se sitúan por encima del promedio de la OCDE. Sin embargo, en la competencia lectora los resultados del alumnado de Cantabria quedaron por debajo del promedio de la OCDE con 475 y 492 puntos respectivamente.

Existe una diferencia de 145 puntos entre el alumnado de 15 años matriculado en 4º de ESO y el matriculado en 2º de ESO (gráfico 4).

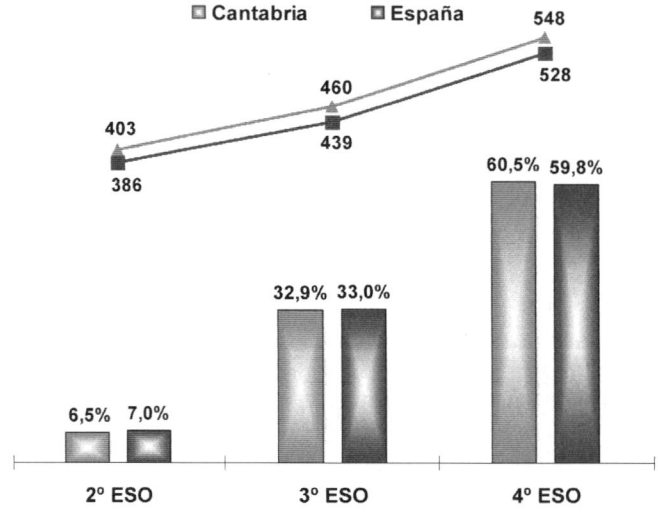

Gráfico 4: Diferencia de puntuaciones del alumnado participante en PISA 2006. Cantabria y España.

El rendimiento obtenido por los/as alumnos/as de Cantabria se encuentra por encima de los resultados esperados en relación al PIB *per cápita* (gráfico 5).

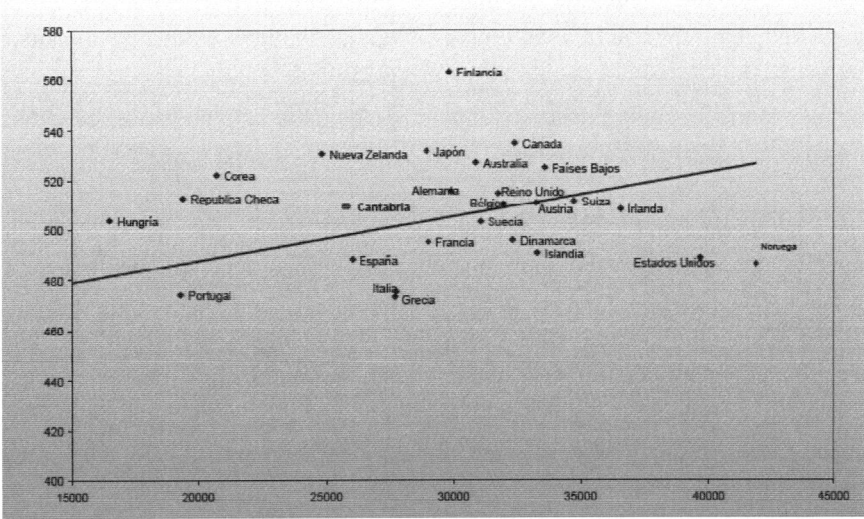

Gráfico 5: Rendimiento del alumnado de Cantabria en relación con el PIB *per cápita*

Los resultados obtenidos por los alumnos/as de Cantabria quedan, claramente, por encima de lo esperable para el índice socioeconómico y cultural de la región (gráfico 6).

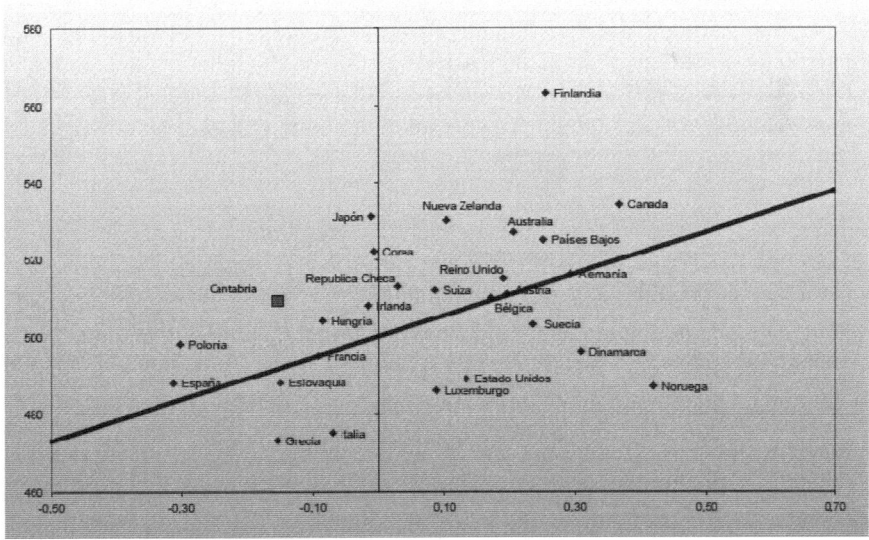

Gráfico 6: Rendimiento en Ciencias e "Índice de estatus socioeconómico y cultural"

La diferencia en el rendimiento medio entre un/a alumno/a de Cantabria, cuya madre no tenga finalizados los estudios Primarios frente a otro/a cuya madre tenga estudios superiores es de 98 puntos, valor ligeramente superior al de España, que es de 84 puntos, y similar al de la OCDE que es de 99 puntos (gráfico 7).

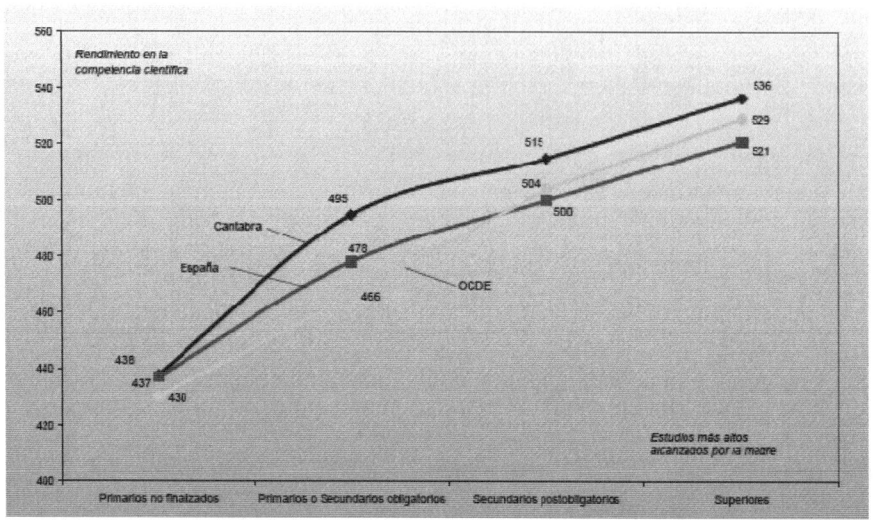

Gráfico 7: Rendimiento del alumnado de Cantabria en PISA 2006
y estudios más altos alcanzados por la madre

Entre los/as alumnos/as de Cantabria se produce una diferencia de 155 puntos entre los que no tienen libros en sus casas y los que afirman tener más de 500. Esta diferencia es superior al promedio español donde esta diferencia, también muy importante, 135 puntos. En el ámbito de la OCDE esta distancia es de 125 puntos.

El rendimiento obtenido por los/as alumnos/as inmigrantes en Cantabria es 55 puntos menos que el de los/as alumnos/as nativos, igual diferencia que en el conjunto del Estado. Pero en valor absoluto los/as alumnos/as inmigrantes en Cantabria obtienen mejores resultados que en el resto del Estado español: 458 puntos frente a los 438 del conjunto de España.

En relación con la calidad y equidad de los sistemas educativos de los países y regiones que han participado en PISA 2006, Cantabria está situada en el cuadrante de mayor calidad y mayor equidad, en consonancia con los países y regiones más avanzados de la OCDE (gráfico 8).

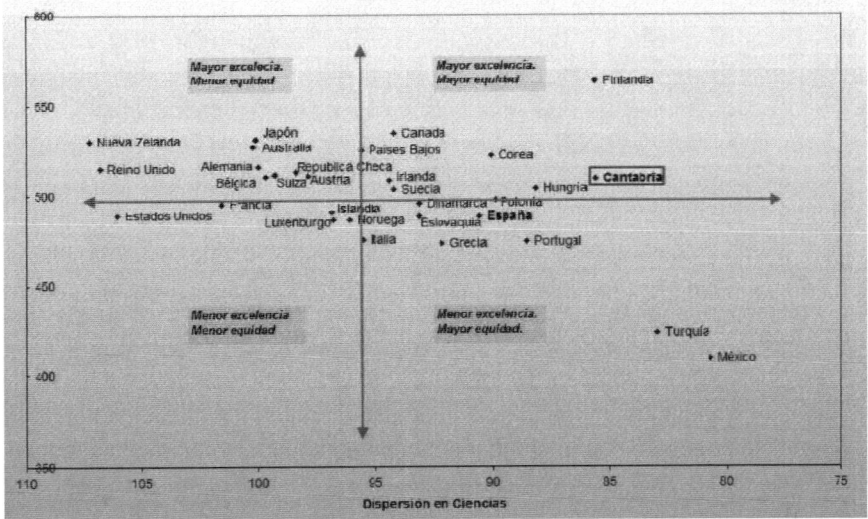

Gráfico 8: PISA 2006. Calidad y equidad en los sistemas educativos

3.2. Evaluación de Diagnóstico

Las alumnas de Cantabria sacan mejores resultados en la competencia en comunicación lingüística en lengua castellana, tanto en 4° de Primaria como en 2° de ESO. A su vez los alumnos obtienen mejores resultados en la competencia matemática (gráficos 9 y 10).

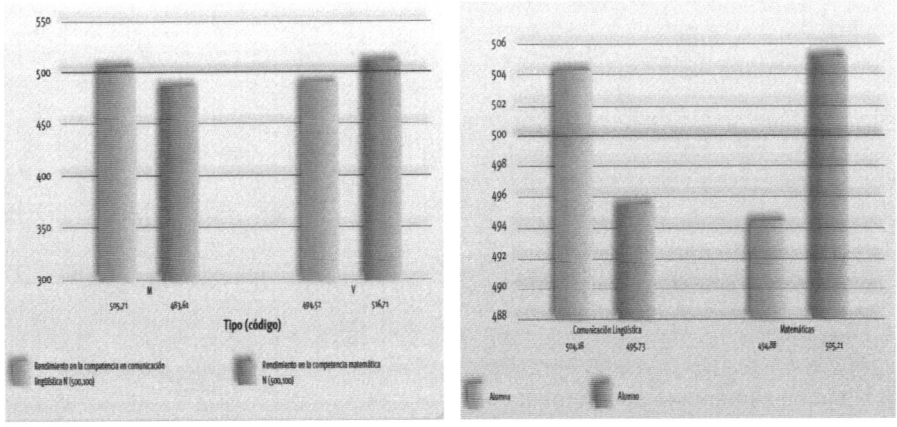

Gráficos 9 y 10: Rendimiento por género del alumnado de Cantabria.

Los alumnos y alumnas que se encuentran en 4° curso en su año idóneo obtienen 80 puntos más de media en la competencia en comunicación lingüística que los alumnos y alumnas que llevan un año de retraso y 77 puntos más en la competencia matemática, valores parecidos se observan en 2° de ESO (gráfico 11).

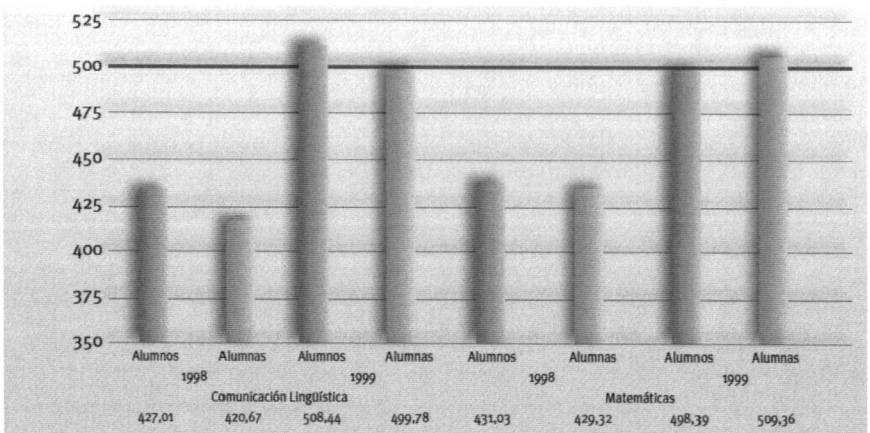

Gráfico 11. Idoneidad y resultados del alumnado

Las diferencias de las medias globales de rendimiento entre los alumnos/as españoles y los alumnos/as extranjeros con más de un año de escolarización son de 50,5 puntos en la competencia en comunicación lingüística y 47 puntos en la competencia matemática en 2° de ESO y de 30 puntos en la competencia en comunicación lingüística y 32 puntos en la competencia matemática en 4° de Primaria (gráficos 12 y 13)

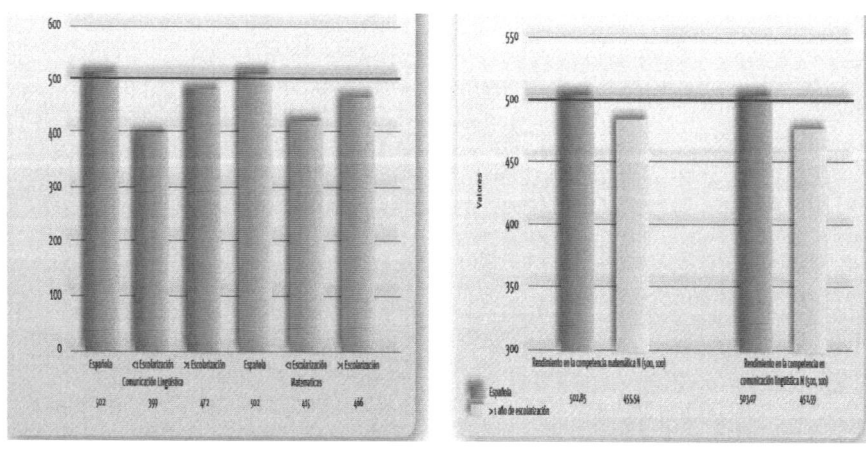

Gráficos 12 y 13: 4° de Primaria - 2° ESO. Alumnado extranjero.
Rendimiento medio por tiempo de escolarización

Los resultados obtenidos por el alumnado que ha repetido 4° de Primaria o 2° de ESO de Cantabria en la Evaluación de Diagnóstico ponen de manifiesto, como ya hicieran los resultados de la Evaluación Internacional PISA (OCDE), que la repetición de curso, al menos como se entiende en la actualidad en nuestro sistema educativo de volver a enfrentar al alumno/a con los mismos contenidos curriculares, sin ninguna otra medida educativa en la mayoría de los casos, no parece surtir los efectos positivos que desde determinadas posiciones docentes se le atribuyen.

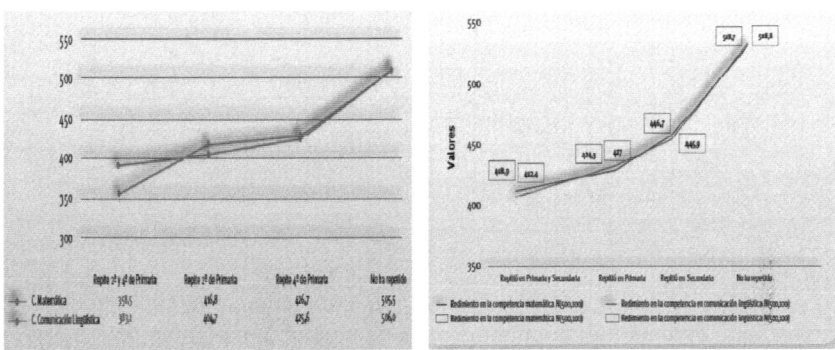

Gráficos 14 y 15: 4° de Primaria - 2° ESO. Resultados y repetición de curso

3.3. Evaluación General de Diagnóstico

El alumnado de 4° de Primaria de Cantabria en la Evaluación General de Diagnóstico obtiene unos resultados por encima del promedio de España en las cuatro competencias evaluadas (gráfico 16).

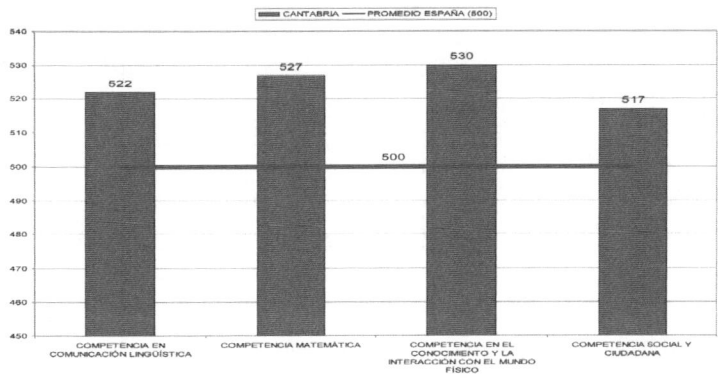

Gráfico 16: Resultados medios del alumnado de Cantabria en la Evaluación General de Diagnóstico

Los resultados del alumnado de Cantabria se encuentran por encima de lo que cabría esperar por el PIB por habitante de nuestra región. Resultados semejantes, como se ha señalado antes, se desprenden de la evaluación PISA.

3.4. Evaluación del clima y la convivencia escolar de los centros educativos de Cantabria

El 95 % de las familias cree que la conflictividad en los centros educativos de Cantabria es escasa (gráfico 17).

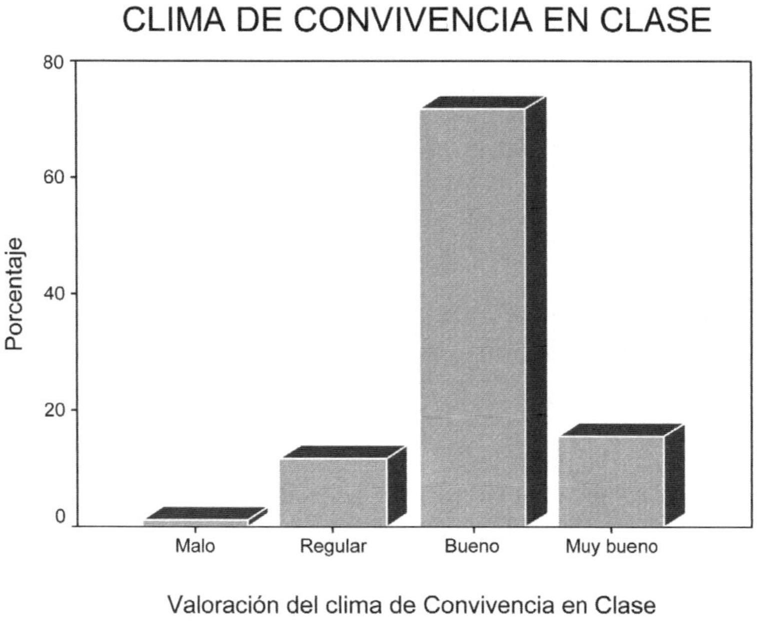

CLIMA DE CONVIVENCIA EN CLASE

Valoración del clima de Convivencia en Clase

Gráfico 17. Familias. Valoración de la Convivencia.

El 82% de los docentes experimenta un nivel de satisfacción superior a la media en el ejercicio de su labor profesional (gráfico 18).

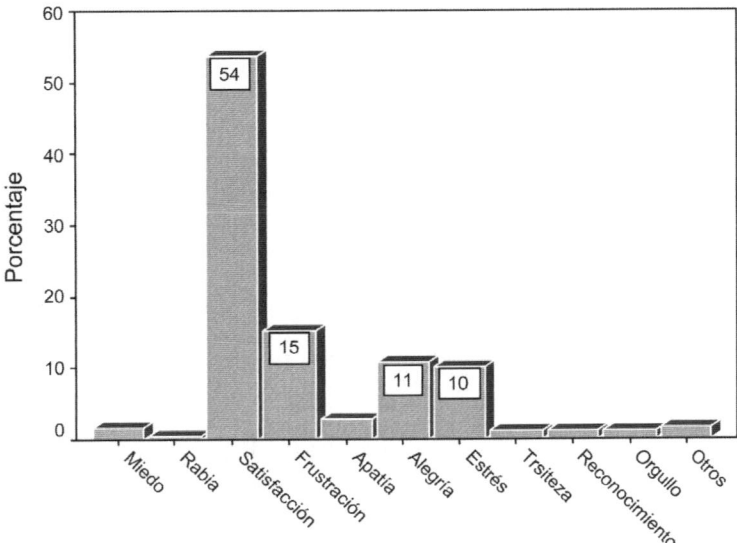

Sentimiento predominante en el desempeño del trabajo

Gráfico 18. Grado de satisfacción del profesorado de Cantabria

4. POLÍTICAS EDUCATIVAS DESDE LA EVALUACIÓN

Como ya hemos señalado, la evaluación nos ha de posibilitar abordar la realidad educativa con un mayor grado de conocimiento, lo que ha su vez nos permitirá desarrollar respuestas más ajustadas a los retos que esa compleja y cambiante realidad nos demanda.

Pero lo que parece imprescindible es que los resultados de las evaluaciones tienen que provocar diversos niveles de análisis que no han de quedarse únicamente en la recepción de los resultados o en la publicación de un informe. Si ese análisis no se hace desde el mismo profesorado y desde los centros y si ese análisis no provoca el desarrollo de actuaciones y políticas educativas, según sea el carácter de la evaluación, podemos concluir que evaluar no tiene sentido.

Por ello la Consejería de Educación ha desarrollado distintas políticas educativas que o se han derivado de los resultados de las distintas evaluaciones o, estando ya puestas en marcha, han venido a dar respuesta a los resultados que se extraían de ellas. Pasaremos ahora a enunciar algunas de estas políticas[1]

4.1. Políticas de carácter general

– Planes de atención a la diversidad (obligatorios para todos los centros).

– Plan Lector de Cantabria.

– Plan de Interculturalidad

– Plan de Apoyo y Refuerzo Educativo

– Incremento significativo del número de orientadores/as y creación de las Unidades de Orientación en Primaria.

– Desarrollo de programas de prevención, intervención y seguimiento del absentismo escolar.

– Plan Educantabria con un significativo incremento de la dotación de TIC en los centros educativos.

– Formación permanente del profesorado.

– Planes zonales.

4.2. Centros educativos

– Potenciar la corresponsabilidad de toda la comunidad educativa y, especialmente, de las familias en los procesos de aprendizaje del alumnado.

– Impulsar la formación de las familias inmigrantes (II Plan de Interculturalidad).

– Impulsar en los centros cambios organizativos (educa todo el centro): Proyecto Educativo de Centro (PEC) y Proyecto Curricular (PCC) enfocados hacia la ad-

---

1. La explicación pormenorizada de estas políticas y actuaciones educativas excede con mucho los límites de este trabajo. No obstante, si algún lector o lectora estuviera interesado/a en profundizar en el contenido de estas políticas en general, o en alguna de ellas en particular, puede encontrar la información precisa en: www.educantabria.es

quisición y desarrollo de las competencias básicas y hacia la creación de entornos saludables de aprendizaje.

– Fomentar el liderazgo pedagógico de los equipos directivos.

– Desarrollar redes de apoyo interno en los centros, tanto entre los alumnos como entre el profesorado y el alumnado y el profesorado.

4.3. Alumnado

– Incrementar progresivamente el refuerzo educativo en horario no lectivo a todos los centros educativos de Cantabria.

– Poner en marcha las figuras del tutor/a de alumnos/as con materias pendientes en todos los departamentos didácticos y del coordinador de centro de evaluaciones externas.

– Fomentar los programas de transición entre etapas.

– Implantar progresivamente en todos los IES de Cantabria Programas de Cualificación Profesional Inicial.

– Ampliar el programa de estancias educativas de verano: interculturalidad y bilingüismo.

– Reforzar las acciones educativas sobre el alumnado absentista.

– Desarrollar proyectos educativos específicos para centros y comarcas con especiales dificultades educativas.

– Potenciar la orientación académica y profesional específica para el alumnado de altas capacidades desde el inicio de la etapa Secundaria Obligatoria, impulsando la aplicación de metodologías didácticas que posibiliten el trabajo autónomo de este alumnado.

– Potenciar el carácter práctico y aplicado en los procesos de enseñanza de las ciencias: reforzar el uso de los laboratorios en los centros.

4.4. Profesorado

– Incremento del profesorado que atiende a aquellos colectivos de alumnado que más lo necesitan: orientadores/as, profesores/as de Servicios a la Comunidad, profesores/as de Pedagogía Terapéutica y Audición y Lenguaje, coordinadores/as de interculturalidad…

– Formación específica para todo el profesorado en competencias básicas: Línea 1 del Plan Regional de Formación del Profesorado.

– Formación sobre competencias básicas y evaluaciones nacionales e internacionales a jefes/as de Estudio, jefes/as de Departamento y coordinadores/as de ciclo.

4.5. Refuerzo de la competencia lectora

– Potenciar la lectura diaria en los centros, con el refuerzo de la lectura en Primaria y Secundaria Obligatoria.

– Impulsar la integración curricular de las bibliotecas.

– Facilitar espacios TIC de consulta y búsqueda de información en todas las bibliotecas escolares.

– Promover acciones dirigidas a mejorar la valoración que la Lengua y la Literatura tienen entre los alumnos/as

4.6. Modernización del sistema educativo

– Incrementar los Programas de Educación Bilingües: 42 centros educativos de Cantabria han implantado programas de educación bilingüe (PEB). En los últimos 6 cursos, el número de centros con PEB prácticamente se ha cuadruplicado.

– Anticipar el estudio de una segunda lengua extranjera (alemán o francés) en el 3º ciclo de la Educación Primaria (70 centros).

– Escuela 2.0: ordenadores gratuitos para todos los alumnos/as de 5º y 6º de Primaria. Aulas Digitales.

– Virtuabria. Plataforma telemática de formación a distancia para el profesorado.

– Agrega. Plataforma telemática para potenciar y posibilitar el intercambio de contenidos digitales entre docentes y familias.

– Todos los centros educativos públicos de Cantabria cuentan con coordinador/a TIC.

– Impulsar la conectividad de banda ancha y redes inalámbricas: todos los centros educativos de Cantabria cuentan con conexión ADSL y redes inalámbricas.

– Incrementar la convocatoria de de proyectos educativos relacionados con la integración curricular de las TIC.

Para finalizar y como se ha podido ir viendo a lo largo de estas líneas, desarrollar procesos de evaluación, en su sentido más amplio, para conocer en profundidad la realidad del sistema educativo de Cantabria y poder intervenir sobre esa realidad con fundamento ha sido una línea de actuación básica y transversal del actual equipo de la Consejería de Educación de Cantabria desde el año 2004. Línea de actuación que, sin duda, además de implicar a la propia Administración educativa, nos esforzamos para que también implique a los centros, profesorado, alumnado, familias, personal de Administración y Servicios… puesto que sin un sentido de compromiso y corresponsabilidad de toda la comunidad educativa la escuela no podrá, ella sola, dar respuestas a las crecientes y complejas demandas que solicita la cambiante sociedad del siglo XXI.

5. REFERENCIAS

Consejería de Educación de Cantabria (2007): Plan de Actuación 2007-2011. Santander.

Consejería de Educación de Cantabria (2008): Informe PISA 2006. Cantabria. Santander.

Consejería de Educación de Cantabria (2009): Informe Evaluación de Diagnóstico 2008-2009. 4º Curso de Educación Primaria, Cantabria. Santander.

Consejería de Educación de Cantabria (2010): Informe Evaluación de Diagnóstico 2008-2009. 2º Curso de Educación Secundaria Obligatoria, Cantabria. Santander.

González García, J.L. (2006): *Estudio del clima escolar y la convivencia en los centros educativos de Cantabria*. Santander: Consejería de Educación.

Instituto de Evaluación (2010): Evaluación General de Diagnóstico 2009. Educación Primaria. Cuarto curso. Ministerio de Educación. Madrid.

Capítulo III
LOS RIESGOS DE LA EVALUACIÓN

Miguel Ángel Santos Guerra
Universidad de Málaga

Nadie pone hoy en duda la importancia y la necesidad de la evaluación. El debate se centra más en cómo hacerla y en cómo encaminarla a la mejora.

No se trata de hacer muchas evaluaciones, ni siquiera de hacerlas bien. Lo verdaderamente importante es saber a quién benefician y a quién perjudican. En definitiva, saber a qué valores sirven y qué valores destruyen. Porque la evaluación es un fenómeno de naturaleza ética, más que técnica.

A pesar de sus grandes posibilidades, la evaluación entraña hoy algunos riesgos a los que me voy a referir brevemente:

1. LAS TRAMPAS DEL LENGUAJE. ¿DE QUÉ EVALUACIÓN HABLAMOS?

El lenguaje es como una escalera por la que subimos a la comunicación y a la liberación y por la que bajamos a la confusión y a la dominación. El problema del lenguaje no consiste en que no nos entendamos sino en creer que nos entendemos cuando, realmente, estamos diciendo cosas no sólo distintas sino contradictorias.

Muchos debates políticos, sociales, económicos y educativos están larvados por la suposición de que estamos compartiendo códigos que no compartimos. El caso de la evaluación es paradigmático. Cuando hablamos de evaluación (en castellano utilizamos la misma palabra para referirnos a lo que los ingleses denominan *accountability, assessment, appraisal, self evaluation…*) es probable que cada uno tengamos en la cabeza una concepción diferente sobre el término. Hay quien utiliza el término evaluación, por ejemplo, para referirse a la simple calificación. Hay quien la entiende como un proceso de control, o de comparación o de selección. Y hay quien piensa que se trata de un fenómeno destinado a conseguir la mejora.

Me estoy refiriendo en este primer peligro a la confusión que genera el lenguaje. Considero que es muy importante hacer evaluación, pero no estoy muy interesado en potenciar la evaluación de resultados a través de pruebas estandarizadas (assessment) con el fin de elaborar rankings y clasificaciones.

Por eso resulta importante que nos aclaremos, que sepamos de qué estamos hablando. Cuando no compartimos los códigos semánticos podemos utilizar las mismas palabras y estar hablando de cosas muy distintas.

2. LAS FINALIDADES DE LA EVALUACIÓN. ¿PARA QUÉ EVALUAMOS?

La pregunta fundamental de la evaluación es la de su finalidad. ¿Para qué se hace la evaluación? Sus funciones pueden ser múltiples. Enumeraré algunas: clasificar, comp., motivar, comparar…

Alguna vez pregunto por la función más deseable que debería cumplir la evaluación. La respuesta, de forma casi unánime, recoge finalidades como mejorar, comprender, aprender, motivar… A continuación pregunto cuál es la función más frecuente en la práctica de la evaluación que se realiza y, en este caso, la respuesta se centra en funciones como medir, clasificar, seleccionar, controlar… La pregunta que se desprende de forma casi inevitable es la siguiente: ¿por qué no coinciden las funciones reales con las ideales?, ¿por qué no están más presentes en la práctica las finalidades que consideramos más positivas?

No se produce un debate potente a la hora de elegir las finalidades de un tipo y otro. El problema surge a la hora de explicar el desajuste entre lo que debería ser y lo que es, entre lo deseable y lo real.

Parece producirse una obstinación, un empecinamiento en mantener aquellas funciones que son más pobres, incluso más perniciosas. No tiene mucho sentido emprender evaluaciones que no tengan más finalidad que decir que se hacen o aquellas que pervierten el sentido educativo de la práctica, tanto individual como colectiva.

3. LOS PELIGROS DE LA ATRIBUCIÓN. ¿DE QUIÉN ES LA CULPA?

La evaluación tiene un componente sumamente complejo y, a la vez, inevitable. Es el componente de comprobación. Aquello que debería conseguir el programa, el centro, el alumno/a, ¿lo han conseguido?, ¿en qué medida?, ¿a qué ritmo?, ¿con qué medios? No es fácil llegar a conclusiones fidedignas, trátese de competencias, conocimientos, actitudes o destrezas. No existen formas inequívocas de responder a estas preguntas. No existe un método o instrumento infalible de comprobación.

Pero hay otro componente de la evaluación no menos importante, que es el de atribución. Y este componente no se tiene en cuenta con la misma fuerza. No digo que no se tenga en cuenta, digo que se tiene en cuenta de manera menos explícita y, a menudo, interesada.

Pondré dos ejemplos que el lector/a comprenderá fácilmente:

Un profesor que evalúa la adquisición de conocimientos de sus alumnos/as puede atribuir el fracaso de éstos/as a que son vagos, a que son torpes, a que están mal preparados, a que ven televisión o a que la familia no les ayuda a estudiar… Estas atribuciones suelen ser gratuitas y casi siempre exculpatorias.

Un colegio cuyos alumnos/as han obtenido malos resultados en unas pruebas explica el hecho de manera que no cuestione la filosofía de la institución o el funcionamiento de su equipo directivo y de sus profesionales.

Esta cuestión es sumamente importante porque tiene que ver con la capacidad de mejora que puede propiciar la evaluación. Si todas las causas del fracaso, se manejan de forma exculpatoria, aunque las evidencias indiquen lo contrario, la posibilidad de mejora se reduce a cero. Quines tienen que mejorar son los demás.

4. EL CONTEXTO DE LA EVALUACIÓN. ¿DÓNDE SE REALIZA LA EVALUACIÓN?

Para entender los textos es imprescindible conocer los contextos. Es decir, para saber cómo es la evaluación, resulta imprescindible saber dónde se realiza.

Me voy a referir a dos contextos dentro de los cuales se realiza la evaluación educativa:

4.1. El contexto cultural

Vivimos envueltos en la cultura neoliberal. No es, a mi juicio, el mejor de los contextos para realizar una evaluación auténticamente educativa, es decir, una educación que no sólo se ocupe de valores educativos sino que eduque al que la hace y al que la recibe.

La cultura neoliberal inspira las grandes políticas y también la macroeconomía. Pero condiciona también las actitudes, las concepciones y los comportamientos de las personas.

Pues bien, la cultura neoliberal está regida por unos presupuestos que, en su mayoría, contradicen los presupuestos de la educación: individualismo exacerbado, competitividad extrema, obsesión por la eficacia, relativismo moral, conformismo social, imperio de las leyes del mercado, privatización de bienes y servicios, olvido de los desfavorecidos, hipertrofia de la imagen, reificación del conocimiento...

En ese contexto la evaluación se encuentra con importantes condicionantes. No es de extrañar que se confiera una enorme importancia a la cuantificación, a la competitividad, a los resultados...

4.2. El contexto institucional

¿Qué tipo de organización es la escuela? ¿Qué normas la rigen? ¿Qué rutinas la dominan? Para comprender la evaluación que se realiza en la escuela es preciso comprender la estructura y el funcionamiento de la institución que la alberga.

Se trata de una institución heterónoma, jerárquica, de reclutamiento forzoso, con fines ambiguos e, incluso, contradictorios, con fuerte presión social, con débil articulación, homogeneizadora, androcéntrica...

La enorme cantidad y precisión de las prescripciones dejan poco margen a la autonomía institucional y a la libertad individual.

5. DESIGUALDAD DE LAS EVALUACIONES. ¿CÓMO CASTIGAR UNA REALIDAD A TRAVÉS DE LA EVALUACIÓN?

Para tener éxito en el sistema educativo hay que tener éxito en la evaluación. Por eso resulta tan importante reflexionar sobre ella: condiciona todo el proceso.

Existe un peligro que consiste en realizar un tipo de evaluación diferente, uno de menor importancia y rigor que otro, valorar para realidades que son igualmente importantes.

Pondré un ejemplo que es altamente clarificador. Me refiero a la diferente manera de evaluar la docencia y la investigación en la Universidad. Para tener buen resultado en la evaluación de la docencia basta haberla hecho. O peor, algunas veces ni siquiera hace falta hacer docencia. Cuando pasan cinco años, de forma automática, se considera que se ha realizado bien la tarea y se produce una mejora del sueldo.

Pero la evaluación de la investigación tiene otras exigencias. Se constituyen comisiones nacionales que utilizan cada año criterios más exigentes. Muchos profesores no alcanzan los mínimos exigidos.

De este diferente criterio se deriva un castigo para la docencia. ¿Qué más da hacerla bien que hacerla mal? Lo que esa política de evaluación "aconseja" es dedicarse a lo que de verdad importa. Da igual cómo prepares las clases, cómo las impartas, cómo hagas la tutoría. El resultado es el mismo. Lo que tiene repercusiones en el sueldo y en la carrera docente es la estrategia de publicación. Si consigues publicar un libro o un artículo en una editorial o en una revista bien situada en el ranking, tendrás éxito y la consiguiente mejora de la remuneración. Es más, ahora la investigación no sirve sólo para mejorar el salario sino que se ha convertido en un requisito esencial para la carrera docente.

6. LAS RELACIONES CON EL PODER. ¿A QUIÉN SIRVE LA EVALUACIÓN?

Hay que preguntarse con insistencia a quién sirve la evaluación. ¿Sirve a la comunidad? ¿Sirve al poder?

Cuando un patrocinador encarga la evaluación a los técnicos, éstos devuelven los informes a quien los ha contratado o pagado. Pero si el equipo de evaluación no tiene cuidado, si no procura que la comunidad conozca los informes, puede el patrocinador utilizar la evaluación a su antojo. Puede silenciar, cambiar, aplazar, seleccionar, explicar como quiera los informes.

Cuando una evaluación se realiza con dinero público es preciso garantizar la entrega de los informes a la comunidad. Porque cuando el poder pretenda manipular los resultados, la comunidad podrá decir: "Alto, yo tengo los informes. Eso no es así. Eso no se deduce de la evaluación".

De ahí la importancia que tiene el hecho de que los evaluadores y evaluadoras sean personas con independencia de criterio y auténtica posición ética respecto al uso de la evaluación.

7. LA CULTURA DE LOS TITULARES. ¿QUÉ SE DICE DE LA EVALUACIÓN?

Vivimos en la cultura de los titulares. Hay quien vive intelectualmente de los titulares de prensa o de televisión. En ellos bebe y de ellos se nutre. Nunca va más allá del impacto causado por las frases que abren los periódicos o los telediarios. Como se comprenderá, esto es muy peligroso. Porque los titulares no lo pueden explicar todo. Porque los titulares constituyen una forma peculiar de filtrar la realidad. Porque los titulares suelen escribirse para causar un golpe de efecto, cuando no para servir a los intereses espurios de quien los escribe.

El problema es que los titulares crean estado de opinión. Porque, dadas las prisas, no se lee la explicación que los justifica. Porque se suele comprar el periódico o ver la cadena que está en la línea de la propia línea argumental y porque vivimos en un mundo de fragmentos informativos y de atención voluble.

Hay casos en los que la situación se agrava. Me refiero a aquellas situaciones en las que todos los periódicos coinciden en los titulares. Pondré un ejemplo. ¿Qué piensa el gran público de los resultados del Informe PISA? Lo que han dicho los titulares de prensa. No es que la gente no haya leído el Informe, es que no ha leído ni siquiera los artículos que desarrollan los titulares. Como éstos buscan causar impacto, el resultado suele ser muy peligroso. "España es el furgón de cola de los países europeos", "La enseñanza privada aventaja a la pública" venían a decir los titulares. Y muchos convierten el titular en un dogma, en un eslogan que se repite sin argumentos y que, a base de repetirse, se convierte en un estribillo. Podría referirme a miles de ejemplos.

¿Qué peligros encierra esta configuración del estado de opinión a través de los titulares?

– En primer lugar, produce una simplificación abusiva del pensamiento. La argumentación desaparece llegando de forma repentina y gratuita a la conclusión.

– En segundo lugar, genera una tergiversación casi inevitable de la realidad. Porque es imposible encerrar en tan pocas palabras la comprensión de un fenómeno complejo.

– En tercer lugar, se origina una dogmatización de las opiniones, ya que parece que los enunciados del titular constituyen verdades indiscutibles. Como las personas no acostumbran a comprar y leer dos o más periódicos, se concluye que esa verdad es un dogma.

8. EL EFECTO MATEO. ¿A QUIÉN BENEFICIA LA EVALUACIÓN?

La expresión "efecto Mateo" proviene de la cita bíblica que se recoge en el capítulo 13, versículo 12, del Evangelio de San Mateo (que se repite en Mateo 25, 29 y en otros evangelios hasta en cinco ocasiones) y que dice así: "Porque al que tiene se le dará y tendrá en abundancia; pero al que no tiene, incluso lo que tiene se le quitará".

Autores relevantes de la psicología, como Merton o Bunge, han reflexionado sobre el efecto Mateo, entendiendo que los bienes a los que la cita hace referencia pueden ser materiales (dinero, riqueza, posesiones…) o inmateriales (prestigio, confianza, autoestima…).

Merton fue el primero que utilizó este concepto aplicándolo a la producción científica. Dice que un científico acreditado tendrá menos problemas en hacer valer sus investigaciones que un joven desconocido en el ámbito de la ciencia. Por eso funcionan tan bien los padrinazgos. Un autor novel estampa su firma al lado de un autor consagrado. Padrino y ahijado se benefician del efecto Mateo. El ahijado verá cómo su trabajo ve la luz (beneficio del ahijado) y el padrino se apunta un mérito atribuyéndose un trabajo que no ha hecho (beneficio del padrino). Uno pone el nombre y el otro pone es esfuerzo. Los dos se benefician

Si un autor conocido lleva un texto a una Editorial o a una revista para su publicación, es probable que se lo admitan sin más preámbulos. Es más, es probable que le pidan originales sin saber qué calidad van a tener.

Cundo se hacen evaluaciones de las que se derivan clasificaciones, los situados en cabeza se benefician del efecto Mateo, mientras que los últimos de la lista volverán a ser castigados por su efecto nocivo. Por ejemplo, si en el Informe PISA Finlandia ocupa el primer lugar, el país será premiado con el reconocimiento y el prestigio. No hace falta tomar decisiones para gratificar a los primeros. Basta que sean primeros para ser gratificados…

Este efecto tiene afinidad con otros que han sido estudiados por la psicología educativa, por ejemplo "efecto Pigmalión", "efecto halo", "efecto bola de nieve", "efecto riqueza", "efecto acumulativo"… Todos ellos tienen planteamientos análogos.

9. LOS RIESGOS DE LA CUANTIFICACIÓN. ¿POR QUÉ LA OBSESIÓN POR LOS NÚMEROS?

Creo que uno de los peligros más dañinos de la evaluación es considerar que las cifras son dogmas indiscutibles. Algunos piensan que cuando hay número, hay ciencia. No siempre es así. Los números están cargados de trampas.

En primer lugar porque hay que analizar cuál es la calidad y el rigor del dato numérico. Puedo decir que una persona obtiene un nueve sobre diez en una escala de motivación. El problema radica en saber con qué rigor se ha realizado la atribución.

Luego comparamos los números. Y entonces ya parece indiscutible decir que 9 es más que 8. O que el que no haya obtenido un 5 tiene una puntuación insuficiente.

El que las pruebas sean estandarizadas nos dice también algo sobre las pretensiones. Se busca efectuar una comparación. Pero, ¿se pueden comparar dos realidades incomparables? La comparación, para ser precisa, debería contrastar realidades similares. Me temo que los resultados de estas pruebas, manipulados por la prensa y por la derecha, vayan en detrimento de la escuela pública. Los padres, obnubilados por el señuelo de los resultados acabarán diciendo que la escuelas privadas obtienen mejores resultados y que son de mejor calidad que las públicas. Sin hacer explícita la trampa de que las condiciones de partida de los alumnos y alumnas son muy diferentes.

Hay experiencias magníficas, comprometidas con aquellos a quienes Paulo Freire llamaba los "desheredados de la tierra", que quizás no queden muy bien parados en una evaluación de diagnóstico que aplica pruebas estandarizadas. Pero en esas escuelas se trabaja mucho y se trabaja bien. No me opongo a una evaluación exigente, me opongo a una evaluación tramposa. A muchas de las escuelas que ocupen los primeros lugares en el ranking habría que preguntarles dónde van a estudiar aquellos alumnos y alumnas que tienen malas condiciones de partida, escasas expectativas, fracaso continuado y ninguna ayuda en la familia. ¿Qué hacemos con ellos? ¿Quién les echa una mano?

El principal problema reside en que al haber número en el tratamiento de los resultados, se piensa que indiscutiblemente hay ciencia. Y que la ciencia es incontrovertible. No. No siempre que hay número hay rigor. Los datos, sometidos a tortura, acaban confesando lo que quiere quien los maneja. Un vendedor de hamburguesas de pollo recibe una inspección y, al analizar las carnes descubren los inspectores que hay en ellas importantes cantidades de otras carnes. Le preguntan al vendedor:

– "¿Con que carnes hace usted las hamburguesas?"

– "Con carne de pollo, aunque mezclo con otras carnes", contesta el vendedor.

– "¿Con qué otras carnes?", inquiere un inspector.

– "Con carne de caballo", responde el dueño del negocio.

– "Y, ¿en qué proporción hace las mezclas?", pregunta el inspector.

– "A un cincuenta por ciento. Por cada pollo, un caballo".

En los números se pueden encerrar trampas mortales. Un individuo que no sabía nadar se ahogó al atravesar un río del que le dijeron que tenía 80 centímetros de promedio de profundidad.

Familias, profesorado, alumnado y ciudadanos en general debemos saber a qué llamamos una escuela de calidad. Se dice que los números cantan. Yo añadiría que los números desafinan. ¿Por qué dicen los padres y las madres que una escuela es de calidad? ¿Sólo por los resultados? Juntemos en una escuela a hijos de familias que saben hablar inglés, que tienen dinero para mandarlos a Inglaterra, para pagar un profesor particular, un lugar cómodo y ordenado para estudiar y, sobre todo, la convicción de la importancia de los idiomas para desenvolverse en la vida. Congreguemos en otra a los alumnos que carecen de estas condiciones. Apliquemos luego unas pruebas estandarizadas para evaluar los rendimientos del aprendizaje del inglés. ¿Sería justo decir que la primera es una mejor escuela porque sus alumnos obtienen mejores resultados? ¿Sería lógico decir que es de calidad si practica para hacer la selección el racismo, la xenofobia, la insensibilidad y el elitismo?

10. LOS PROBLEMAS DE METAEVALUACIÓN. ¿QUIÉN EVALÚA LA EVALUACIÓN?

La metaevaluación es un proceso consistente en evaluar las evaluaciones. No se trata de evaluar por evaluar. De evaluar para decir que se está evaluando. Hace falta preguntarse muchas cosas respecto a las evaluaciones que se han realizado. A saber:

¿Tiene rigor esa evaluación? ¿Es fiable? ¿Ha estado realizada de modo que podamos dar por buenos sus resultados? ¿Ha servido para algo? ¿Ha favorecido la mejora del funcionamiento de la institución o del programa? ¿Qué nos ha enseñado? ¿Qué se puede aprender del proceso y de los resultados obtenidos? ¿Se puede trasladar lo que se ha descubierto a otros contextos similares?

No es de recibo hacer evaluaciones sin ton ni son (Santos Guerra, 2003). Hay que revisar los criterios que la han impulsado, la forma en que se ha hecho y los efectos que ha producido.

Cuentan que en China se produjo una enorme invasión de ratas. La alarma se hizo mayor al saber que las ratas eran portadoras de una terrible enfermedad. La proliferación fue tan grande que el gobierno decidió tomar cartas en el asunto y preparó rápidamente un decreto con la intención de acabar cuanto antes con la plaga. En él se anunció que se premiaría con una cantidad de dinero a todos los que se presentasen en el Ayuntamiento mostrando una rata muerta. Los empleados las recogerían y las quemarían para acabar con el problema. El dinero por cada rata muerta era tan abundante que las ratas, de entes amenazadores y repugnantes, se convirtieron en bienes preciados, de manera que las personas las buscaban y las sacrificaban sin descanso.

¿Qué sucedió? Que los chinos descubrieron muy pronto que la cantidad de dinero percibida por las ratas capturadas y entregadas al Ayuntamiento era tan suculenta que decidieron dejar de plantar arroz y ponerse a criar ratas. El problema no se hizo esperar. Faltaban alimentos. Tenían mucho dinero, pero era un dinero que no les permitía satisfacer sus necesidades más perentorias.

La medida parecía lógica, pero la realidad torció la intención del legislador. La pretensión de acabar con las ratas se convirtió en el principal modo de multiplicarlas. Si se hubiesen quedado tan tranquilos, sin ver cómo evolucionaba la realidad, hubieran sufrido graves consecuencias.

Hay que estar atentos, pues, a la realidad. Hay que analizar qué es lo que puede cambiar la intención de quien decide. Intereses de otras personas se interponen, a veces, en la puesta en acción de una medida cargada de bondad y de lógica. Otras veces es la aparición de nuevas e inesperadas circunstancias lo que acaba pervirtiendo la voluntad benéfica de quien decide. Quizás, en algunas ocasiones, sea un malhadado azar.

11. REFERENCIAS

Santos Guerra, M.A. (1993): *La evaluación, un proceso de diálogo, comprensión y mejora*. Archidona (Málaga): Aljibe.

-- -- (1998): *Evaluar es comprender*. Buenos Aires: Magisterio del Río de la Plata.

-- -- (2003): *Una flecha en la diana. La evaluación como aprendizaje*. Madrid: Narcea.

-- -- (2008): *Nieve y barro. Metaevaluación del Plan de Evaluación de centros escolares de Andalucía*. Sevilla: Eduforma.

Capítulo IV
LA ORGANIZACIÓN ESCOLAR Y LOS TIEMPOS ESCOLARES EN SU RELACIÓN CON LOS RESULTADOS ESCOLARES

José Antonio Caride Gómez
Catedrático de Pedagogía Social
Universidad de Santiago de Compostela

1. ACERCA DEL VALOR DEL TIEMPO EN LA SOCIEDAD Y EN LA EDUCACIÓN

Para la educación, sean cuales sean las realidades en las que se concretan su prácticas cotidianas, el tiempo constituye un soporte simbólico y material de fronteras variables, a las que se han ido acomodando distintos modos de articular la voluntad educadora de la sociedad, en todas las sociedades, aunque con esquemas y logros dispares, tanto en el interior de los sistemas educativos institucionalizados –a los que delimita y condiciona estructuralmente (Escolano, 2000)–, como en otros escenarios pedagógicos y sociales a los que se invoca a menudo, procurando que sean partícipes de la construcción de una formación más integral e integradora, para todos y durante toda la vida.

Un tiempo, en definitiva, que más allá de los significados que aporta a la planificación y regulación de los procesos educativos, define la verdadera naturaleza y alcance de la educación como un derecho y un deber cívico, en el que cada persona y la sociedad en su conjunto se juegan una parte importante de sus/nuestras particulares formas de ser y estar en el mundo. Así intentó trasladarse a los Objetivos fundamentales del Marco para la Acción de Dakar en el año 2000, subrayando el interés de adoptar decisiones relacionadas con una mejor organización de los tiempos escolares en el ámbito de las políticas educativas y sociales, confiando que de ellas se deriven contribuciones de cierto relieve para la equidad y la cohesión social, favoreciendo que las personas puedan adquirir conocimientos y competencias que aporten cambios significativos en sus vidas. Una tarea que, en ningún caso, puede sustraerse del valor concedido al tiempo y a su buen uso como un bien escaso, de cuya correcta administración pública, además de lo que con él se haga a nivel individual y privado, depende en gran medida el disfrute y el bienestar de las personas (Durán, 2007).

Nos referimos a un tiempo que tiene valor y resulta valioso para la educación, no sólo –dirá Gimeno Sacristán (2008)– por lo que los tiempos educativos, entre ellos los escolares, disponen e imponen en la organización de la vida en común, sino y sobre todo por las funciones sociales que, en el conjunto de los tiempos sociales satisfacen, desde como desde las que afectan al ejercicio de las actividades públicas y privadas, hasta las que modulan las relaciones de los individuos entre sí, pasando por la intensidad de la experiencia vivida o el establecimiento de diferencias, dependencias y jerarquías entre ellos y dentro de la sociedad, en general, en lo que habitualmente suele decirse que supone *"poner a cada uno en su lugar"*. También, e inevitablemente, en *"su"* tiempo.

De ahí, recuerda Gimeno, que lo realmente interesante del tratamiento que se hace del tiempo en la educación no sea tanto su duración u ordenación sino lo que *en él* y *con él* se hace; esto es, dar mucha menos trascendencia a su *cantidad* que a su *calidad*. Por ello, argumenta, es difícil precisar cuánto tiempo de educación, de escolarización o de aprendizaje es el ideal o el necesario, sin tomar en consideración su referencia a la jornada lectiva, a los días de la semana, al trimestre, al curso escolar o a las tareas académicas. Máxime, si lo que se pretende es *"contestar con soluciones que se concreten en una cantidad precisa de tiempo físico, en términos de horas de reloj, en días de calendario o en años de escolaridad... [siendo] necesario entrar en el contenido del tiempo que transcurre y se organiza físicamente, y tratar de rentabilizarlo mejor, administrándolo más eficazmente"* (Gimeno, 2008: 70-71).

2. DEL TIEMPO ESCOLAR COMO CANTIDAD AL TIEMPO ESCOLAR COMO CALIDAD DE LAS ENSEÑANZAS Y LOS APRENDIZAJES

La variable "tiempo" tiene una especial relevancia cuando se tratan de asociar los resultados escolares –entre ellos los académicos– con el peso que tienen los ritmos y horarios escolares en la organización –y gestión– de los centros educativos, cuando todo indica que el tiempo global de escolaridad por sí solo no explica que los resultados tangibles en el alumnado sean mejores o peores: el incremento del número de días lectivos o de las horas dedicadas formalmente a la enseñanza, no supone que ésta sea necesariamente mejor, *"ya que 'más tiempo' no siempre significa 'más aprendizaje'. Depende de para qué se emplee el tiempo"* (Hargreaves, 2003: 117), de las actividades y de los fines de la enseñanza y no de la mera cantidad de tiempo disponible. Además, añade Hargreaves, *"si el alumnado falla en algo que esté haciendo la escuela, el mero aumento de tiempo no resuelve el problema"*.

Confirman esta argumentación los datos que aportan diversos informes internacionales, como el TIMSS y el PIRLS, que además del PISA, indican una débil relación estadística entre el tiempo que el alumno dedica al aprendizaje y las puntuaciones medias, *"lo que* –como señala Haarhr y otros (2005: 11)– *no resulta sorprendente puesto que la relación se complica debido a una serie de factores"*, tales como los contenidos de la enseñanza y o la motivación hacia el aprendizaje, que pueden llegar a ser más importantes que la cantidad de tiempo destinada a enseñar y aprender: *"un mayor número de horas lectivas* –concluyen– *no conduce a un mejor rendimiento académico entre los alumnos"*.

No se trata, por tanto, de un tema menor, ya que –como se ha destacado en el Informe PISA 2003 (OCDE, 2005: 243)– las decisiones políticas sobre el tiempo de enseñanza, es decir, el número de horas que cada alumno ha de pasar en los centros educativos, reflejan una parte importante de la inversión pública en educación, a pesar de fundamentar esta afirmación en una premisa controvertida, no en su enunciado principal (*"el recurso más valioso en el proceso educativo es sin ninguna duda el tiempo que el alumno dedica al aprendizaje"*), sino en el mandato que de ellas se desprende para los responsables de la política educativa, cuyos intentos de mejorar los resultados educativos, llevan aparejado tratar de *"incrementar o emplear con mayor eficacia el tiempo durante el cual los estudiantes están dedicados al aprendizaje en el centro de enseñanza"*. Una vía de actuación que, en el propio Informe se entiende que está estrechamente interrelacionada con *"las políticas acerca del tamaño de los grupos de clase, las horas de trabajo de los profesores (el tiempo dedicado a impartir clases) y la proporción entre alumnos y profesores"*, asumiendo que *"el balance óptimo entre estos factores puede variar según las diferentes asignaturas y los diferentes niveles educativos"*.

Estas apreciaciones, cuando se analizan a la luz de la literatura existente sobre la eficacia escolar, si bien no permiten asegurar que el tiempo escolar sea un predictor significativo de un buen rendimiento académico, si parece serlo del fracaso escolar; como también lo es el hecho de que añadir más tiempo de calidad (bien planificado y estructurado, no rígido o meramente rutinario y mecánico) dedicado a los alumnos en desventaja o con necesidades educativas especiales, tiene unos efectos positivos (Pereyra, 2005). O que, en otra perspectiva, el aprovechamiento que obtienen los escolares en determinadas materias –Lengua, Matemáticas, Ciencias– esté directamente asociado al tiempo dedicado en clase, y en el domicilio familiar (por ejemplo, haciendo "deberes"), a estas enseñanzas, una vez que se tienen en cuenta otros factores que influyen en el aprovechamiento y en los rendimientos escolares.

Dos anotaciones al respecto: de un lado, la que se extrae del Informe de Seguimiento de la Educación para Todos en el Mundo, apelando al *"imperativo de la calidad"* (UNESCO, 2004), en el que se señala como del incremento del tiempo lectivo, si se incide en otras variables de índole contextual, pedagógica, de dotación de recursos y materiales, didácticos, etc., cabe esperar que se generen más oportunidades para asimilar mejor los conocimientos y un deseable incremento de lo aprendido; de otro, las apreciaciones realizadas en el Informe evaluativo de la Educación Primaria en España, a cargo del Instituto Nacional de Evaluación y Calidad del Sistema Educativo (INECSE, 2005: 214), con datos referidos al año 2003, en los que cuando se pone en relación el "tiempo dedicado a hacer los deberes y los resultados que obtiene el alumnado", las valoraciones globales señalan que a medida que el alumnado "dedica diariamente más tiempo a hacer los deberes su rendimiento va siendo más alto, pero desciende cuando el tiempo dedicado es más de tres horas". Una tendencia, señala el Informe, que "se repite en todos los colectivos".

Una valoración en la que también se detiene el Informe PISA del año 2003 (OCDE, 2005: 244), destacando que en los sistemas educativos evaluados la realización de los deberes en casa supone una gran parte del tiempo de aprendizaje fuera del centro de enseñanzas, *"aunque resulta difícil medir su efecto sobre el rendimiento"*, donde otros factores como el entorno socioeconómico de los estudiantes o la ayuda recibida en casa, acaban siendo factores influyentes en los niveles de logro alcanzados, al igual que sucede con las clases de recuperación o ampliación.

Por otra parte, más que el tiempo que dedican los estudiantes a estar en los establecimientos escolares, así como en las actividades que los prolongan (deberes, extraescolares y extracurriculares, pasantías, etc.), parecen ejercer una influencia decisiva las circunstancias en las que se inscribe el clima del centro y su capacidad para crear –en las aulas, laboratorios, etc.– entornos sugerentes para el aprendizaje. Por mucho tiempo que se habilite, como también se ha señalado en el Informe PISA (2005: 110), *"si los alumnos se sienten extraños y ajenos a los contextos de aprendizaje en el centro de enseñanza, su potencial para adquirir habilidades y conceptos fundamentales y para desarrollar un aprendizaje eficaz se reduce considerablemente"*. Una tarea con la que el profesorado debe asumir un mayor compromiso, siguiendo algunas de las pautas que desvelan las investigaciones realizadas sobre buenas prácticas docentes, en la que se pone de manifiesto que para alcanzarlas dedican más del 15% de la jornada escolar a la organización, gestión y preparación de las lecciones; el 50% a la enseñanza interactiva y el 35% al seguimiento y tutorización del trabajo de sus alumnos.

3. LA NECESIDAD DE REPENSAR LOS RITMOS ESCOLARES

La calidad educativa, reiterando lo que ya hemos expresado anteriormente, aunque ahora teniendo en cuenta las conclusiones de la *National Education Commision on Time and Learning* en Estados Unidos, publicadas en mayo de 1994 en su conocido informe *"Prisioners of Time"*, no se puede medir por el tiempo que pasan los alumnos en la escuela sino por la cantidad y calidad de su aprendizaje, cuando –como se constataba en un análisis paralelo a dicho Informe– que el tiempo perdido en clase por entradas, llamadas de atención, distracciones, recogidas de material, etc. era superior a un 65 por ciento del tiempo disponible, por término medio. O que, el consumo de largas horas realizando tareas por escrito en el pupitre o leyendo, sin más y en silencio, sin apoyo y comunicación directa con los profesores, se relaciona frecuentemente con bajos niveles de logro; que el tiempo de espera u otras actividades de organización rutinarias –no afectadas directamente por las enseñanzas y el aprendizaje– consumen más de un tercio de cada sesión lectiva, reduciendo significativamente las tareas orientadas a actividades de alto contenido creativo, cognitivo, innovador y relacional.

En definitiva, un conjunto de circunstancias que se añaden a otras, que dan cuenta de cómo algunas de las principales dificultades que debe afrontar la educación escolar tienen una relación directa con el tiempo, desde los programas sobrecargados, el olvido de lo aprendido, las diferencias personales en los estilos de aprendizaje, la promoción continua o discontinua del alumnado, la repetición de curso, los castigos sin recreo, los niveles y exigencias… que son claros ejemplos de lo que comporta una deficiente armonización en las relaciones que se establecen entre los objetivos formulados por los sistemas educativos y su consecución en un tiempo prefijado, y a los que las Reformas educativas, no sólo en España sino también en otros países de nuestro entorno, no han sabido encontrar alternativas satisfactorias. O lo que es lo mismo, la dificultad para hacer coincidir el currículum planificado con el realmente implementado, confluyendo en un sentimiento común: no es lo mismo el tiempo escolar que el tiempo de aprendizaje. Como tampoco puede esperarse que la mera prolongación de los calendarios escolares, por muy atractiva que pueda ser, no conlleva necesariamente mejores resultados, aun cuando –como revelan algunas investigaciones realizadas en las últimas décadas– pueda apreciarse una modesta repercusión en sus inicios, posiblemente debida mucho más a la acumulación de las expectativas suscitadas en los cambios que a la eficacia de la medida en sí y por sí misma.

De igual modo que tampoco existe una correspondencia adecuada entre la inversión realizada en la educación (por las Administraciones Públicas, las familias o la sociedad en su conjunto) y los resultados que se obtienen en el plano individual y/o colectivo, con índices de "fracaso escolar" que abonan la idea de que en torno al tiempo escolar existe mucha demagogia y bastantes equívocos, como acertadamente señalaba Jaume Carbonell (2000: 3) iniciándose la década que ahora concluimos. A lo que añadía dos preguntas inquietantes: *"¿Qué importancia tiene un día más o menos de clase cuando se pierde tanto tiempo en rutinas y tareas inútiles? ¿Acaso más horas significan una mayor calidad?* Para añadir un diagnóstico contundente y una propuesta renovadora: *Nadie hasta ahora ha podido demostrar que la solución se encuentre en aumentar o disminuir el tiempo escolar... Otra cosa distinta es que este tiempo se dedique a la tutoría, al estudio orientado para consolidar aprendizajes, a la lectura o a otras actividades formativas complementarias"* (Carbonell, 2000: 3).

Interrogantes y diagnósticos que lejos de aminorar el papel concedido en los debates públicos y en la investigación educativa a los tiempos educativos en el contexto más amplio de los tiempos sociales, animan su desarrollo en muy distintas vertientes, a nivel macro y micro sociológico, en las comparaciones realizadas entre los sistemas educativos de los distintos países y los estudios de caso referidos al quehacer educativo en un aula, centro o comunidad escolar, diversificando sus inquietudes en diferentes problemáticas que van desde la duración de la sesión lectiva hasta la formalización de la jornada o la semana escolar, pasando por la duración del curso académico, la distribución de los períodos de actividad y descanso (vacaciones), el alcance pedagógico de los recreos o la conciliación de los ritmos escolares con los tiempos familiares y laborales... en una sociedad cada vez más necesitada de repensar sus relaciones con un tiempo que, como analiza Simonetta Tabboni (2006) está en el corazón de casi todos los interrogantes y conflictos contemporáneos.

Resolverlos no será fácil. Pero, al menos, ha de intentarse, siguiendo los itinerarios trazados por quienes, desde hace más de dos décadas, como Aniko Husti (1985) vienen proponiendo y ensayando las innovaciones que invitan a proyectar en la enseñanza y en la organización escolar tiempos, duraciones y ritmos multiformes, integrados en estructuras policrónicas, flexibles y móviles. Porque como ha señalado José Manuel Sousa (2001: 145-46), hemos de aceptar *"que es posible modificar la duración de las secuencias de enseñanza y que éstas deben corresponder a un objetivo pedagógico. Apliquemos una pedagogía diferenciada, más también con duraciones diferentes de las de la 'hora'. Centrémonos definitivamente en el alumno y abandonemos el formalismo de la teoría científica de control que nos ha acompañado a lo largo de varias décadas. No olvidemos que la duración del tiempo es sentida en la escuela de la misma forma que lo es en otras situaciones de la vida".*

De ser así, puede que las concepciones de la educación institucionalizada y de la organización escolar cambien hacia un *kronos* (tiempo medido y objetivado) y un *kairós* (tiempo vivenciado y percibido) más deseables, no solo con el propósito de alcanzar unos resultados académicos y escolares más estimables, sino y sobre todo para conseguir situar sus logros en los compromisos y responsabilidades que debe satisfacer educativa, cultural y socialmente a favor de una ciudadanía más libre y menos apresurada. Dos señas de identidad en las que el tiempo también desempeña un protagonismo clave.

4. REFERENCIAS

Carbonell, J. (2000). "¿Más días lectivos?" *Cuadernos de Pedagogía*, 296, P. 3.

Durán, M.A. (2007). *El valor del tiempo. ¿Cuántas horas le faltan al día?* Madrid: Espasa-Calpe.

Escolano, A. (2000). *Tiempo y espacios para la escuela: ensayos históricos.* Madrid: Biblioteca Nueva.

Gimeno Sacristán, J. (2008). *El valor del tiempo en educación.* Madrid: Morata.

Haahr, J. H. y otros (2005). *Explicación del rendimiento escolar. Resultados de los estudios internacionales PISA, TIMSS y PIRLS.* Copenhague: Danish Technological Institute.

Hargreaves, A. (2003). "En conclusión: nuevas formas de pensar sobre los docentes y el tiempo". En Adelman, N.E.; Panton, K. y Hargreaves, A. (eds.). *Una carrera contra el reloj: tiempo para la enseñanza y el aprendizaje en la reforma escolar.* Madrid: Akal, pp. 109-120.

Husti, A. (1985). *Temps mobile.* París: INRP.

INECSE (2005). Evaluación de la Educación Primaria en España. Madrid: Ministerio de Educación y Ciencia.

National Commission on Time and Learning (1994). *Prisoners of Time.* Washington DC: Department of Education USA.

OCDE (2005). *Informe PISA 2003: Aprender para el mundo del mañana.* Madrid: Santillana-OCDE, edición española.

Pereyra, M. A. (2005). "En el comienzo de una nueva época". *Cuadernos de Pedagogía*, 349, pp. 53-63.

Sousa, J.M. (2001). *O tempo e a aprendizagem: subsidios para uma nova organização do tempo escolar.* Porto: ASA editora.

Tabboni, S (2006). *Les temps sociaux.* París: Armand Colin.

UNESCO (2005). *Informe de Seguimiento de la EPT en el Mundo: Educación para Todos, el imperativo de la calidad.* París: UNESCO.

Capítulo V
LOS RESULTADOS ESCOLARES Y LA INFLUENCIA DEL CURRÍCULO

Marta Soler
CREA. Universidad de Barcelona

1. MEJORA DE RESULTADOS EDUCATIVOS Y COMUNIDAD CIENTÍFICA

Una de las mayores preocupaciones de las personas que nos dedicamos a la docencia, formación de docentes, políticas educativas o análisis sociales de la educación son los resultados educativos. ¿Qué pasa con las niñas, niños y jóvenes que entran en el sistema escolar? ¿Logran incorporar en sus mochilas conocimientos y competencias necesarias para vivir vidas satisfactorias? ¿Qué horizonte les dibuja el paso por la escuela? El fracaso escolar –entendido como bajos resultados en académicos en aprendizajes instrumentales, absentismo y abandono escolar– ha sido y sigue siendo uno de los principales focos de atención. En la cumbre de Lisboa del 2000 la Unión Europea se planteó una Agenda para el 2010 donde la calidad de los sistemas educativos se consideraba una prioridad para construir una sociedad europea más competitiva y reducir la exclusión social. La Comisión Europea definía así el nivel de secundaria postobligatoria como necesario para no quedarse excluido del mercado laboral. En el año 2010 esos objetivos tan ambiciosos no se han logrado y, en la nueva Estrategia 2020, la Unión Europea se plantea ahora reducir el abandono escolar por debajo del 10%. Este sigue siendo un objetivo ambicioso si no somos capaces de orientar nuestros sistemas educativos con los resultados de la comunidad científica internacional ya que, por ejemplo, actualmente España tiene un 20% de jóvenes que no han completado la Educación Secundaria Obligatoria. En materia educativa es necesario que pasemos ya a hacer lo mismo que en otras áreas de la sociedad y orientar las políticas y prácticas con conocimientos científicos. Cuando tenemos un problema de salud exigimos al sistema sanitario y a los profesionales de la sanidad que nos apliquen el mejor tratamiento que existe en el mundo para ese problema concreto; en cambio, en educación, los y las profesionales insistimos en llevar a la práctica innovaciones creativas u ocurrentes que no tienen ninguna base científica. Para mejorar los resultados educativos de aquellas niñas y niños que tienen más problemas es necesario aplicar aquellos "tratamientos" que han demostrado con evidencias científicas, precisamente, mejorar los resultados.

INCLUD-ED es el único Proyecto Integrado del Programa Marco de Investigación de la Unión Europea sobre educación escolar (además de ser el único proyecto integrado en ciencias económicas, sociales y humanas dirigido desde España). El programa marco está reconocido por la comunidad científica internacional por ser el que financia la investigación de más recursos y mayor rango científico en Europa. El proyecto INCLUD-ED tiene como principal objetivo analizar las estrategias educativas que reproducen la exclusión social y las que promueven la inclusión social en cuatro ámbitos (ocupación, vivienda, salud y participación política) y en cinco colectivos sociales (mujeres, jóvenes, grupos culturales, inmigrantes y personas con discapacidades). En este sentido, INCLUD-ED analiza lo que denominamos "actuaciones educativas de éxito", o sea, aquellas que promueven a la vez eficiencia y equidad.

En el debate educativo actual, Europa está interesada en identificar aquellas actuaciones que generan eficiencia y equidad, o sea, buenos resultados educativos (eficiencia) para todos los niños y niñas (equidad). Para INCLUD-ED ha realizado treinta estudios de caso en toda Europa seleccionando centros educativos de infantil, primaria y secundaria situados en barrios con una media de nivel socioeconómico bajo y con presencia de diversidad cultural (prioritariamente familias migrantes y/o gitanas) que, en comparación con los centros de igual características, tienen buenos resultados educativos en las pruebas de competencias básicas de esa región o país. Por ejemplo, se seleccionó un centro de primaria que había pasado de un 17% a un 85% de logro en los resultados de comprensión lectora, al mismo tiempo que el alumnado inmigrante aumentaba de un 12% a un 46% (Includ-ed consortium, 2009). Nos interesa analizar en profundidad qué actuaciones están haciendo centros como éste, con evidencias objetivas sobre mejora en los resultados académicos, en diferentes partes de Europa. Así INCLUD-ED identifica acciones educativas que son universales transferibles a diferentes contextos de exclusión que denominamos "Actuaciones Educativas de Éxito" o *"Successful Educational Actions"* (SEA) (Includ-ed consortium, 2009).

El estudio de las Actuaciones Educativas de Éxito parte también de un análisis en profundidad de aquellas actuaciones educativas que se están realizando por toda Europa para dar atención a la diversidad que son segregadoras y provocan exclusión y aquellas que son inclusoras y provocan inclusión. En este sentido, se ha señalado que la organización de la escuela y de los recursos que esta tiene a su disposición para agrupar al alumnado diverso, son claves para el éxito académico de las alumnas y de los alumnos que estudian en ellas.

INCLUD-ED distingue entre tres formas de organización del aula: "mixture", "streaming" e "inclusión", analizando los resultados educativos que se derivan. La forma tradicional es "mixture", donde todos los niños y niñas están juntos en el aula. Esto hace difícil atender a necesidades específicas al mismo tiempo que se puede garantizar igualdad de oportunidades-equidad y eficiencia del sistema educativo. Ante el problema del fracaso escolar y la incapacidad de dar respuesta al aumento de diversidad, "streaming" se ha convertido en la alternativa más común a las aulas mixture, donde se realiza una distribución del alumnado por niveles educativos bajo el argumento de "adaptar el currículo a los conceptos previos de los niños y las niñas". De esta forma es muy común encontrar centros educativos que realizan agrupaciones flexibles, separando al alumnado por niveles en áreas curriculares como matemáticas o lengua.

La investigación ha encontrado una relación negativa entre el "streaming" y los resultados académicos; la segregación no aumenta el rendimiento general, pero sí incrementa la disparidad entre el rendimiento de los alumnos y reduce las oportunidades de aprendizaje para los estudiantes de bajo rendimiento y estudiantes de los grupos vulnerables. Sin embargo, hay que dejar claro que existen varias formas de "streaming" en los sistemas educativos europeos, por ejemplo:

1) La organización de las actividades del aula según los niveles de capacidad.

2) Los grupos de nivel y apoyo a la segregación de la clase regular, plan de estudios individualizados de exclusión y la elección de exclusión.

En contraste, las estrategias de inclusión son acciones transformadoras que superan las prácticas del "mixture" y las prácticas de segregación mediante una reorganización de los recursos asignados a las escuelas. Las estrategias de inclusión son acciones exitosas que llevan a las escuelas a mejorar sus resultados tanto en lo que se refiere al aprendizaje académico como en la convivencia.

A diferencia del "streaming", en la inclusión a todos los estudiantes están en el aula regular y en grupos heterogéneos. A diferencia del "mixture", en "inclusion" todos los estudiantes siguen activamente el proceso de aprendizaje con la ayuda del profesor y otros recursos humanos y materiales. El enfoque de la inclusión no sólo ofrece la igualdad de oportunidades, también está muy orientado hacia la igualdad de resultados para todos y todas las estudiantes.

2. "STREAMING" Y ORGANIZACIÓN DEL AULA EN LA ACTUALIDAD

Según la Comisión Europea, "streaming" consiste en adaptar el currículum de los diferentes grupos de niños contando con las habilidades de la escuela. Esto se puede hacer colocando a los y las alumnas en grupos más o menos homogéneos en relación al rendimiento académico.

Un estudio realizado por Chorzempa y Graham (2006), basado en la capacidad de las estrategias de los grupos de lectura, muestra que la segregación tiene consecuencias nocivas, especialmente para los estudiantes pertenecientes a los grupos de riesgo; los grupos de menor capacidad dentro de estas escuelas tienden a dedicar más tiempo a las actividades no instrumentales, tienen menos oportunidades de elegir materiales de lectura, y son menos animados a pensar críticamente, ya que se les pide menos comprensión crítica. La consecuencia es que estas prácticas no aceleran el aprendizaje de los estudiantes en riesgo, en realidad lo desacelera, y perpetúan las desigualdades que existen entre los estudiantes.

2.1. Comparación de escuelas "streaming" y no "streaming"

Al comparar escuelas segregadoras y no segregadoras, el bajo rendimiento de las escuelas segregadoras, las que separan los estudiantes en grupos de nivel, expone a los alumnos a menos contenido y a un contenido de nivel inferior que los estudiantes que están en clases heterogéneas. También es de destacar que el nivel y el ritmo de la instrucción en las clases heterogéneas de enseñanza media es similar al de las escuelas segregadoras. Por tanto, la presencia de alumnos de bajo rendimiento en clases heterogéneas no hace que los profesores frenen su plan de estudios, sino que parece permitir al bajo rendimiento beneficiarse del mismo currículum rico.

2.2. Influencia del grupo de iguales

Zimmer (2003), al examinar el *peer effect* (efecto que tienen los estudiantes de alto rendimiento sobre los estudiantes de baja capacidad) en los casos en que se trata de "streaming", llega a la conclusión que el "streaming" disminuye el impacto que los grupos de iguales tienen en el rendimiento de los estudiantes de capacidad baja y media, mientras que los grupos heterogéneos de niveles no tiene una incidencia negativa para alumnos con alto rendimiento. Por otra parte, los efectos sobre la autoestima académica, sentimientos de inferioridad, vergüenza, ira, así como una mayor probabilidad de abandonar los estudios y convertirse en un delincuente, hacen referencia a las y los estudiantes pertenecientes a los niveles de estudio más bajos. (Braddock y Slavin, 1992).

2.3. Eficiencia y equidad

Las consecuencias de la agrupación por habilidades van más allá de la equidad y la democracia entendida como el derecho a ser educado en un ambiente de no-segregación; también implican el derecho a lograr la equidad en las oportunidades de aprendizaje en un futuro, para ser incluidos socialmente en el futuro.

Según Braddock y Slavin, la agrupación por habilidades se debe a que: "La agrupación por habilidades es ineficaz. Es dañino para muchos estudiantes. Inhibe desarrollo del respeto interracial, la comprensión y la amistad. Socava los valores democráticos y contribuye a una sociedad estratificada" (1992: 14). Por lo tanto, la superación de "streaming" es necesaria a fin de proporcionar a todos los estudiantes la oportunidad para aprender aquello que es relevante en su educación y las competencias que se requieren con el fin de ser socialmente incluido.

2.4. Sensaciones del alumnado y del profesorado

A los estudiantes no les gustan estar en los niveles más bajos de segregación. Por el contrario, prefieren estar en el grupo de mayor capacidad, ya que está conectado al estatus y a una mayor autoestima. Además, los del grupo más alto están más satisfechos con sus actividades escolares en contraste con los del grupo más bajo, que parecen tener actitudes más negativas. La mayoría de los estudiantes son conscientes de las estructuras grupales en su escuela y de su posición dentro de las mismas. En general, la agrupación por habilidades hace que los alumnos sean más conscientes de sus diferencias, legitima un trato distinto para los estudiantes y facilita el establecimiento de su lugar en la jerarquía social. La agrupación según la capacidad también se ha encontrado que está relacionada con las burlas y la estigmatización.

El "streaming" también influye en las expectativas del profesorado, que puede afectar a sus actitudes y al comportamiento hacia los alumnos y alumnas, influyendo en el aprendizaje de los estudiantes y en sus logros. La enseñanza en los niveles más altos tiende a ser más rápida y más exigente mientras que la de los niveles más bajos es más lenta y menos exigente.

3. EL "MIXTURE" DENTRO DE LA ESTRUCTURA ACTUAL DEL SISTEMA EDUCATIVO

"Mixture" es la opción de continuar un aula tradicional, con los estudiantes de la misma edad, pero sin abordar la creciente diversidad existente en la actualidad. En las aulas tradicionales había un maestro que trabaja con 24 estudiantes que fueron muy homogéneos culturalmente (Includ-Ed, 2009). Ahora, muchas clases mantienen esa estructura tradicional pero con estudiantes que hoy son muy diferentes en sus culturas y capacidades. A largo plazo, se produce un abandono de aquel alumnado que tiene unas necesidades educativas que no han sido atendidas (aprendizaje del idioma, ritmo de aprendizaje, etc.).

En vez de elegir entre el "mixture" y el "streaming", que no abordan los desafíos de hoy, la sociedad del conocimiento está incrementando el número de las escuelas que están haciendo grupos heterogéneos en las aulas de manera que los maestros puedan atender a todos los estudiantes de todos los orígenes. Por ejemplo, en lugar de separar a los 24 niños por la capacidad (los 17 alumnos más capaces con un profesor y los siete estudiantes que tienen dificultades con otro profesor), los dos profesores pueden colaborar en la misma aula y el grupo de 24 niños se divide en cuatro grupos heterogéneos en los que los estudiantes trabajan en colaboración. Otros adultos, miembros de la familia u otros voluntarios pueden participar en el aula y proporcionar apoyo adicional a los estudiantes.

Estas organizaciones del aula están teniendo éxito, ya que mejoran el aprendizaje instrumental (en todas las materias) y también ayudan a los estudiantes con los valores de aprendizaje y en su desarrollo emocional. Asimismo, van más allá del aprendizaje cooperativo, restringido a los estudiantes, y avanzan hacia el aprendizaje dialógico, que involucra a los miembros de la familia y toda la comunidad en todo el proceso de aprendizaje, incluyendo las actividades del aula ordinaria.

4. "INCLUSION" COMO MÉTODO ACTUAL DE ORGANIZACIÓN DEL AULA

En esta opción los recursos se reorganizan y gestionan de otro modo. En consecuencia, mantiene todos los niños en la misma aula, organizados en grupos heterogéneos, y colocando todos los recursos en el aula. La evidencia demuestra que la simple concesión de más recursos no conduce necesariamente a una mejora en el rendimiento académico de las y los estudiantes.

Los estudiantes de los grupos vulnerables (mujeres, jóvenes, inmigrantes, minorías culturales y personas con discapacidades) están en mayor riesgo de experimentar la segregación educativa, tales como el "streaming". Más acciones inclusivas son especialmente importantes para estos alumnos, ya que les ofrecen más oportunidades para que tengan éxito en la escuela. La presencia de estudiantes de bajo nivel académico no empeora el rendimiento de la clase sino que hace que todos y todas se vean beneficiados y disfruten de un rico currículum académico.

Son numerosos los beneficios específicos que surgen de los grupos heterogéneos de estudiantes, sobre todo para los estudiantes que parten de una desigualdad inicial. Su concepto de sí mismos, autoconfianza y mejora del rendimiento académico se ven positivamente influenciados. Existe una asociación entre una organización diferente y un mejor rendimiento. Del mismo modo, las evidencias científicas indican que a los alumnos con necesidades educativas especiales que se colocaron en las aulas ordinarias con apoyo adicional les fue mejor académicamente que a los estudiantes en clases especiales, y tenían una mejor oportunidad de calificarse para acceder a la universidad.

En las aulas inclusivas, los estudiantes de grupos vulnerables también demuestran mayores niveles de interacción social, reciben más apoyo social, desarrollan mejores habilidades sociales y relacionales y se preparan para ser más independientes en el futuro.

5. CÓMO LA ORGANIZACIÓN DEL AULA AFECTA A LOS GRUPOS VULNERABLES

Youdell (2003) y De Haan & Elbers (2004) indican que el origen étnico de los estudiantes está relacionado con la asignación a los grupos de bajo rendimiento. Hay algunas características de los estudiantes que están vinculadas a la probabilidad de estar en un alto nivel o en un nivel más bajo. Para los estudiantes que ya están en mayor situación de riesgo, estos factores aumentan las oportunidades de situarse en un nivel bajo o abandonar.

Las investigaciones indican que una proporción importante de estudiantes dicen que les gustaría cambiar su grupo de nivel. En la mayoría de los casos, los estudiantes dicen que les gustaría moverse hacia arriba, sobre todo porque están dando actualmente un nivel inadecuado de trabajo, que los estudiantes perciben como demasiado fácil. Este problema podría resolverse si los estudiantes pudieran circular libremente entre los grupos de habilidad. Sin embargo, las escuelas no suelen contribuir a que los estudiantes puedan hacerlo.

En cuanto a las características sociales de los estudiantes, la etnia, el logro previo de los estudiantes y la diversidad socioeconómica se asocia positivamente con la aplicación del "streaming" en las escuelas secundarias. La agrupación por habilidades crea clases de baja capacidad que contienen un número desproporcionado de estudiantes pertenecientes a minorías étnicas y culturales y estudiantes de niveles socioeconómicos de la clase trabajadora y baja. Para el caso de las minorías culturales, los efectos de la agrupación por habilidades son especialmente negativos en las oportunidades de aprendizaje.

En conclusión, algunos grupos de estudiantes son más propensos a ser afectados por las prácticas de "streaming" que otros. Esos grupos son inmigrantes, las minorías culturales y estudiantes con discapacidad. Las prácticas del "streaming" han sido previstas –o al menos justificadas– para compensar las desventajas de estos estudiantes. Sin embargo, la eficacia del "streaming" es bastante discutible. De hecho, los efectos negativos del "streaming" se acentúan entre estos estudiantes, en términos de éxito escolar y de inclusión social. El "streaming" bloquea el desarrollo de relaciones positivas entre los distintos grupos étnicos y afecta a las posibilidades de desarrollar amistades entre las diferentes etnias. Sin este tipo de relaciones es difícil lograr el entendimiento y la tolerancia interracial, y que se combatan las ideas racistas.

En general, el "streaming"conduce a peores resultados para los estudiantes de los grupos vulnerables (entre ellos inmigrantes, miembros de minorías culturales, estudiantes con discapacidad...). Por otra parte, el "streaming" hace más difícil lograr la equidad y la democracia en la práctica educativa, tal como estos términos significan, no sólo existe el derecho a ser educados en un entorno no segregado, sino también el derecho a lograr la equidad en las oportunidades de aprendizaje a fin de ser socialmente incluidos en el futuro. Por lo tanto, la reducción del "streaming" puede aumentar las oportunidades de que todos los estudiantes aprendan los conocimientos educativos que necesitan y adquieran las competencias necesarias para ser incluidos en la sociedad.

6. FORMACIÓN Y PARTICIPACIÓN DE LAS FAMILIAS COMO ESTRATEGIA PARA MEJORAR EL RENDIMIENTO ESCOLAR

El proyecto INCLUD-ED ha identificado también otras perspectivas que analizan la posibilidad de superar estas limitaciones y proponer estrategias que mejoren el rendimiento escolar a través de la formación de familiares y la participación de la comunidad en las escuelas (Includ-Ed, 2009). Las conclusiones del proyecto IN-CLUD-ED señalan que la participación de las familias y la comunidad en los ámbitos escolares contribuyen a mejorar significativamente el rendimiento y el éxito académico de las y los alumnos y la calidad educativa. El aporte principal radica en la identificación de prácticas inclusivas específicas enfocadas al éxito escolar, principalmente en las áreas instrumentales como matemáticas y lengua. Como hemos mencionado, anteriormente se había analizado cómo el capital social que los hijos heredan de sus familias y su contexto social determina su rendimiento académico. Lo que no se había estudiado hasta ahora eran las posibilidades de transformación de las familias para aumentar ese bagaje académico. Un análisis que sólo recoja la dimensión descriptiva en torno a la relación entre nivel académico de los familiares (padres y madres por ejemplo), y el desempeño escolar de los alumnos (por ejemplo de sus hijos e hijas), no deja ver ni medir otro tipo de correlaciones; en otras palabras, recoger información que sólo describa las desigualdades entre aquellos que tienen más formación y nivel académico en sus familias y aquellos que no cuentan con ese capital social o académico en sus hogares.

El aprendizaje depende cada vez más de las interacciones que los niños y niñas tienen con todas las personas con quienes se relacionan y, como parte de ellas, con sus familiares. Según el proyecto INCLUD-ED, una de las actuaciones de éxito que contribuye a una mayor equidad y una mayor eficiencia es la promoción de la formación de familiares. En aquellas escuelas en que la oferta educativa no está restringida a los y las estudiantes y a los y las profesionales sino a toda la comunidad se observa cómo aumenta el éxito de todos y todas las estudiantes. Según INCLUD-ED, no es el tener más o menos libros en casa, sino el participar en actividades de formación lo que implica una mejora de los resultados educativos de las hijas e hijos. En el momento en que las familias de bajo nivel educativo participan en la educación se promueven interacciones educativas y culturales que se extienden a las relaciones con sus hijos e hijas, contribuyendo a una mejora de los resultados educativos de los mismos.

Si como hemos puesto de manifiesto, el aprendizaje depende de la coordinación de todas las interacciones de los y las estudiantes con todas las personas adultas que les rodean, cuanto más formados y formadas estén esas personas adultas, las interacciones con los niños y con las niñas serán más ricas y eficaces para el aprendizaje escolar. Sin embargo, esta formación de familiares y familias debe alejarse de su caracterización tradicional, en la que los profesores y profesoras o la administración han decidido en qué se tienen que formar los familiares.

Para que la formación tenga sentido y éxito entre las personas adultas que rodean a los niños y niñas, para que se impliquen y participen, las actividades formativas tienen que responder a sus necesidades e intereses. Cuando las familias dicen en qué quieren formarse, deciden hacerlo en inglés, informática o alfabetización y no hábitos de higiene para sus hijos e hijas, como han venido decidiendo otras personas por ellas. En las experiencias de centros educativos que han iniciado proyectos de transformación educativa y social, las familias han manifestado el sueño de formarse con el objetivo prioritario de ayudar a sus hijos e hijas con las tareas escolares. Los efectos transformadores de esta práctica son espectaculares: los niños y niñas refuerzan mucho más el aprendizaje, mejoran las relaciones entre familia y centro y se transforman espacios como el salón del domicilio al utilizarse para actividades de aprendizaje conjunto entre niños y niñas y familiares como nunca antes había sucedido. Las familias ven de otra manera su papel educativo con relación a la escuela, lo que influye a su vez en las actitudes que se potencian desde los domicilios. De esta forma la formación de familiares incide en la transformación del entorno y en los aprendizajes del alumnado.

Las contribuciones del proyecto señalan, además, que la participación de las familias en los procesos de toma de decisión así como en actividades de aprendizaje aumenta los recursos humanos con los que se cuenta en la escuela, a la vez que coadyuva a la mejora de los resultados académicos. La implementación de dichos recursos extra en la escuela es en sí una medida que contribuye a la inclusión de personas tradicionalmente excluidas de la participación y de los procesos de toma de decisión, lo cual es más significativo de cara a los estudiantes con más riesgos de exclusión social (Includ-Ed, 2009).

Algunas acciones de éxito que contribuyen a la formación y participación de las familias en la escuela y a su participación efectiva en el entorno escolar son las Comunidades de Aprendizaje en España (Elboj, 2006). Esta propuesta educativa, basada en las contribuciones de la comunidad científica internacional, abre la escuela a la participación de familiares en todos los espacios de aprendizaje, como sucede en los grupos interactivos, y a la formación de las familias.

7. CONCLUSIONES

La conexión entre la organización del aula y los resultados académicos de los y las estudiantes tiene una clara relación en los sistemas educativos actuales. La investigación existente a nivel internacional coincide en afirmar que la segregación genera desigualdades en los sistemas educativos, y que el impacto negativo de esta segregación es mucho mayor para el alumnado de estratos sociales desfavorecidos, inmigrantes o pertenecientes a minorías étnicas. Los niños y niñas situados en niveles inferiores reciben una educación de calidad inferior, lo que dificulta el posterior acceso a la educación superior y reduce las oportunidades sociales a largo plazo. De acuerdo con las aportaciones del proyecto INCLUD-ED, las desigualdades entre alumnado y entre escuelas pueden reducirse mediante la sustitución de los sistemas educativos de segregación en favor de los de "inclusión" con el fin de mejorar la organización del aula para atender a la diversidad en las escuelas. Los grupos interactivos o las bibliotecas tutorizadas son un ejemplo de actuaciones educativas de éxito que utilizan los recursos humanos ya existentes en el centro (profesorado de apoyo, otros profesionales, voluntariado) para una organización inclusiva del aprendizaje.

Además, INCLUD-ED ha profundizado en la conexión entre el nivel educativo de las familias y el rendimiento y éxito escolar del alumnado. A pesar de que las mediciones internacionales han prestado poca atención a los programas que ayudan a incrementar el nivel educativo de las familias, se demuestra que existen ciertos programas de formación de familiares que mejoran la formación de las familias y el éxito escolar de los niños y niñas. Formando a las familias y fomentando su participación en todos los espacios del centro, incluido el aula, mejora el rendimiento del aprendizaje de niños y niñas pasando así de un modelo reproduccionista de escuela a un modelo transformador de la misma, como espacio donde superar desigualdades sociales.

8. REFERENCIAS

Elboj, C et al. (2002). *Comunidades de Aprendizaje. Transformar la educación.* Barcelona: Graó

Aubert, A. et al. (2008). *Aprendizaje dialógico en la sociedad de la información.* Barcelona: Hipatia.

Braddock, J.H.; Slavin, R.E. (1992) *Why ability grouping must end: Achieving Excellence and Equity in American Education.* Baltimore, MD: Center for Research on Effective Schooling for Disadvantaged Students.

Chorzempa, B. F. & Graham, S. (2006). "Primary-Grade Teachers' Use of within Class Ability Grouping in Reading". *Journal of Educational Psychology.* vol. 98 num. 3 pp. 529-541.

De Haan, M. & Elbers, E. (2005): "Peer Tutoring in a Multiethnic Classroom in the Netherlands: A Multiperspective Analysis of Diversity". *Comparative Education Review, 49*(3), 365-388.

European Commission (2005). *Communication to the spring European council. Working together for growth and jobs. A new start for the Lisbon Strategy.* Brussels: European Commission.

INCLUD-ED Consortium (2009) *Actions for success in schools in Europe.* Brussels: European Commission. Directorate General for Research.

Youdell, D. (2003). "Identity Traps or How Black Students Fail: the interactions between biographical, sub-cultural, and learner identities". *British Journal of Sociology of Education,* 24 (1), 3-20

Zimmer, R. (2003). "A New Twist in the Educational Tracking Debate". *Economics of Education Review, 22* (3), 307.

Capítulo VI
¿CÓMO INFLUYE LA CONDICIÓN SOCIAL Y ECONÓMICA DEL ALUMNADO EN LOS RESULTADOS ESCOLARES?

Jorge Calero
Universidad de Barcelona e Instituto de Economía de Barcelona

1. INTRODUCCIÓN

El objetivo de este texto es analizar la influencia del origen sociocultural de los alumnos sobre los resultados educativos, utilizando para ello los datos resultantes de la evaluación de competencias de PISA, en concreto en su edición de 2006 aplicada a España. En tal planteamiento aparecen como cuestiones relevantes, a las que prestaré especial atención, las dos siguientes. En primer lugar, la presencia de "efectos de composición" y la necesidad de controlarlos en los análisis con objeto de alcanzar efectos "netos" de cada una de las variables (en caso de no controlarlos estaríamos considerando efectos "brutos"). Para ilustrar esta diferencia se puede utilizar un ejemplo sencillo: los alumnos de origen inmigrante obtienen resultados más bajos en las evaluaciones de PISA que los alumnos nacionales; sería éste el que denominamos "efecto bruto". Sin embargo, el origen inmigrante suele ir aparejado a otras características socio-culturales del alumno que también determinan peores resultados. Cuando, mediante análisis estadísticos multivariantes, conseguimos mantener constantes estas últimas características, podemos llegar a determinar el "efecto neto" de la condición de inmigrante, que suele ser menor que el "efecto bruto".

En segundo lugar, al abordar el efecto del origen socio-cultural sobre los rendimientos educativos resulta conveniente diferenciar entre los efectos directos y los que se producen a través de "*peer effects*" o "efectos compañero", es decir, fruto de la interacción de los estudiantes, en términos cognitivos pero también actitudinales, en el mismo centro o aula. Esta diferenciación permite identificar conceptualmente el doble efecto de algunas variables. Pongamos el ejemplo del capital cultural de los padres de un alumno traducido mediante una variable como el nivel educativo de los padres; esta variable tiene un previsible efecto directo sobre el rendimiento del alumno en cuestión, pero también indirecto, al proyectarse e incidir sobre el rendimiento de los compañeros de ese mismo alumno. Como veremos, la presencia de *"peer effects"* conduce a prestar una muy especial atención a los procesos de segregación escolar.

2. DATOS, VARIABLES Y METODOLOGÍA

Los resultados presentados en este artículo proceden de un análisis aplicado sobre los microdatos de PISA-06 correspondientes a España. La técnica utilizada es una regresión multinivel, cuyas características resumiré más adelante. Las variables sobre las que se aplica el análisis son las siguientes:

Variable dependiente: nivel de competencias de los alumnos en el conjunto de pruebas del área científica de PISA.

Variables explicativas de los resultados: el diseño de la recogida de datos de PISA permite establecer dos niveles en este conjunto de variables: el nivel 1 (correspondiente a los estudiantes) y el nivel 2 (correspondiente a los centros). Dentro de cada uno de los niveles podemos acceder en PISA a diferentes tipos de variables:

– Nivel 1:

Variables personales (sexo, edad, etc.).

Variables socioculturales y socioeconómicas familiares (nivel educativo de padres y madres, categoría socioprofesional, nacionalidad, etc.).

– Nivel 2:

Titularidad del centro.

Características socioculturales y socioeconómicas de las familias de los compañeros (nivel educativo de padres y madres, clase socioprofesional, nacionalidad).

Variables referidas a los recursos (humanos y materiales) de la escuela.

Variables referidas al proceso de enseñanza y al tipo de aprendizaje.

Como decía anteriormente, el análisis se ha llevado a cabo aplicando la técnica de la regresión multinivel. Esta elección viene justificada por el diseño de la base de datos de PISA, donde los datos tienen un carácter jerárquico o anidado (la información de los alumnos está "anidada" en cada uno de los centros). A su vez, este carácter jerárquico se origina en un diseño de muestra bietápico: el hecho de seleccionar en una primera etapa del muestreo a unos centros hace que sea más probable que se seleccionen alumnos de características similares que en el caso de realizar directamente el muestreo sobre los alumnos. Por otra parte, el análisis multinivel nos permite un análisis en el que se permite que cada centro tenga un comportamiento diferenciado en el análisis. Si deseamos analizar el efecto de una variable (como es el caso, el origen sociocultural de los estudiantes) sobre otra (el nivel de competencias), mientras que el análisis de regresión lineal convencional daría como resultado una única "recta" de regresión (supongamos con pendiente positiva), para el conjunto de la población, el análisis multinivel generará múltiples rectas, una por escuela.

3. RESULTADOS

En el cuadro 1 aparecen los resultados del análisis multivariante. Los coeficientes asociados a cada variable se interpretan como el crecimiento (o decrecimiento) que sufre el nivel de competencias (en puntuaciones de PISA, con media 500 para el conjunto de la OCDE) debido a la incidencia de cada variable. En el caso de las variables categóricas los coeficientes se refieren a incrementos (o decrementos) con respecto a la categoría tomada como referencia[2].

Destacaremos, de forma resumida, los siguientes resultados:

1) Se observa una incidencia muy importante de las variables del ámbito familiar (origen sociocultural del estudiante). Entre ellas destacan las siguientes:

– Capital cultural de la familia (aproximado mediante variables como el nivel de estudios de la madre o el número de libros).

– Condición de inmigrante de primera generación (nacido fuera de España). Sin embargo, la condición de inmigrante de segunda generación (nacido en España de padres extranjeros) no altera significativamente los resultados de PISA.

– Madre económicamente activa. Pese a disponer de menor tiempo para acompañar a los hijos, las madres que participan en el mercado de trabajo inciden con más intensidad en el proceso de formación de los jóvenes.

---

2. Sólo resultan estadísticamente significativas (es decir, con efecto diferente a cero) aquellas variables que tienen coeficientes marcados con una a, una b, o una c (en cada caso, con diferente nivel de significatividad).

2) Después de controlar el efecto del resto de variables, como se efectúa en este análisis, el efecto "neto" de la titularidad del centro educativo es contraintuitivo: los centros de titularidad privada (tanto concertados como independientes) inciden *negativamente* sobre el nivel de competencias. La interpretación de este resultado apunta a que las mejores competencias (en términos "netos") que alcanzan los centros privados son debidos al tipo de usuarios "selectos" que se matriculan en ellos y a las interacciones en términos de "efectos compañero" que tienen lugar en sus aulas.

3) "Efectos compañero":

– La acumulación de alumnos de origen inmigrante en los centros tiene efectos negativos sobre los resultados únicamente cuando la concentración supera al 20% del alumnado total.

– El nivel educativo medio de padres y madres del centro incide, de forma directamente proporcional, sobre los resultados.

Los dos resultados anteriores llevan a subrayar la importancia de los procesos de segregación escolar y, por ende, de las políticas de desagregación.

4) Los efectos asociados a los recursos (tanto físicos como humanos) del centro son débiles o inexistentes. Este resultado es frecuente en la literatura que aborda los determinantes del rendimiento educativo, como puede comprobarse en Hanushek (2003).

5) Las prácticas de agrupación de alumnos en función de su capacidad tienen un efecto agregado neutro, provocado por la cancelación de efectos contrapuestos, positivos para los alumnos incorporados a grupos de elevada capacidad y negativos para los alumnos incorporados a grupos de baja capacidad.

4. ALGUNAS IMPLICACIONES PARA LA POLÍTICA EDUCATIVA

Los resultados que he presentado en el apartado anterior conducen a las siguientes tres reflexiones relacionadas con las políticas educativas:

1) La canalización de financiación pública adicional a los centros privados no mejora, necesariamente, los resultados educativos. La elección de un centro privado constituye una buena inversión desde el punto de vista privado (de los usuarios) pero no necesariamente desde el punto de vista social.

2) La mezcla de estudiantes de diferente origen socioeconómico en los centros debería ser un objetivo central de la política educativa. Teniendo en cuenta la gran incidencia los *peer effects* sobre los resultados (especialmente de los estudiantes con peores resultados), la reducción de la segregación educativa provoca, previsible-mente, reducciones de las desigualdades de resultados, además de incrementos en el nivel agregado de los resultados.

3) Es recomendable dar difusión a la información acerca de la aportación *real* de cada centro a los resultados educativos (la aportación debida a sus características como centro y no debida a sus usuarios). Esta recomendación se puede traducir en un sistema de evaluaciones de centros, por parte de las agencias de evaluación, en función de su valor añadido.

5. REFERENCIAS

Calero, J. (2008). "What happens after compulsory education? Problems of conti-nuity and possible policies in the case of Spain". *The Social Science Journal*, 45 (3), 440-456.

Calero, J. y Escardíbul J. O. (2007). *Evaluación de servicios educativos: el rendi-miento en los centros públicos y privados medido en PISA-2003.* Hacienda Públi-ca Española, 83 (4), 33-66.

Calero, J. y Waisgrais S. (2009). "Factores de desigualdad en la educación española. Una aproximación a través de las evaluaciones de PISA". *Papeles de Economía Española*, 119, 86-98.

Dronkers, J. (2008). Education as the backbone of inequality. European education policy: constraints and possibilities. En F. Becker, Duffek, K. Y Marschel T. (eds*.). Social Democracy and Education. The European Experience*. Amsterdam: Frie-derich Ebert Stiftung / Karl Renner Institut / Wiardi Beckman Stichting.

Fuentes, A. (2009). Raising education outcomes in Spain. OECD. Economics Depar-tment *Working Papers*, 666.

Hanusheck E. A. (2003). "The failure of input-based schooling policies". *The Eco-nomic Journal*, 113, 64-98.

Hoxby, C. (2000). Peer effects in the classroom: Learning from gender and race va-riation. NBER *Working Paper Series*, 7867.

Martínez, R. (2006). "La metodología de los estudios PISA". *Revista de Educación*, extraordinario 2006, 111-129.

Mayer, S. E. (2002). "How economic segregation affects children's educational attainment". *Social Forces*, 81 (1), 153-176.

OCDE (2008*). Policies and practices supporting the educational achievement and social integration of first and second generation migrants: a systematic review.* París: OCDE.

OCDE (2007). *PISA 2006: Science competences for tomorrow's world.* París: OCDE.

Schleicher, A. (2007). "Can competencies assessed by PISA be considered the fundamental school knowledge 15-years-olds should possess?" *Journal of Educational Change*, 8, 349-357.

Willms, J. D. (2006). *Learning divides: Ten policy questions about the performance and equity of schools and schooling systems.* Montreal: Unesco Institute for Statistics.

Cuadro 1. Resultado de la regresión multivariante aplicada a PISA-06 España
(competencia de ciencias).

Ámbito	Variable	Coeficiente
	CONSTANTE	305,1[a]
		(5,8)
Personal		
	EDAD	7,7[a]
		(2,5)
	MUJER	-19,6[a]
		(-11,0)
	CURSO 2 (1º-2º ESO)	-111,0[a]
		(-25,4)
	CURSO 3 (3º ESO)	-67,0[a]
		(-30,6)
Familiar 1. Características socio-culturales y económicas del hogar		
	PRIMGEN (nacido en el extranjero)	-24,3[a]
		(-2,7)
	SEGGEN (nacido en España, padres extranjeros)	-4,7
		(-0,4)
	LENGUA 2 (Nativos hablan lenguaje no nacional)	13,6
		(-0,8)
	LENGUA 3 (Extranjeros hablan lenguaje nacional)	3,5
		(0,4)
	LENGUA 4 (Extranjeros hablan lenguaje no nacional)	10,9
		(0,9)
	ACTIVA (Madre económicamente activa)	13,1[a]
		(5,6)
	ACTIVO (Pare económicamente activo)	11,6
		(1,3)
	CATCBLNC (Categoría cuello blanco no cual.)	-7,8[a]
		(-2,9)
	CATCAZC (Categoría cuello azul cual.)	-7,7[b]
		(-2,4)
	CATCAZNC (Categoría cuello azul no cual.)	-5,6[c]
		(-1,7)
	ANESCMAD (Años escolar. madre)	0,7[a]
		(2,8)
	ANESCPAD (Años escolar. padre)	0,3
		(0,9)
Familiar 2. Recursos del hogar y su utilización		
	ORDENADOR	10,0[c]
		(1,7)
	UTILDEV (Utilización ordenador de vez en cuando)	-8,7[a]

UTILNUN (No utiliza ordenador)	(-3,9) 2,1 (0,3)
ESCDEV (Escribe documentos en ordenad de vez en cuando)	11,0[a] (4,6)
ESCNUN (No escribe documentos en ordenador)	-12,8[a] (-3,4)
LIBROS (libros en el hogar>100)	22,9[a] (11,2)
ELECCION (de escuela por parte de los padres)	6,0[c] (1,7)

Ámbito	Variable	
Escolar 1. Características de la escuela		
	CONCERT (privada concertada)	-28,3[a] (-3.8)
	PRIVIND (privada independiente)	-27,1[a] (-2,9)
	TAMESC (Tamaño escuela)	-0,0 (-0,3)
	TAMUNI 2 (escuela munic. 100.000 y 1.000.000 hab.)	3,7 (1,4)
	TAMUNI 3 (escuela en munic. > 1.000.000 hab.)	8,0 (1,6)
	DISPESC (Más de 2 escuelas cercanas)	1,4 (0,5)
Escolar 2. Características del alumnado de la escuela		
	ORINMIG 1 (alumnos de origen inmigrante 0,1-10%)	2,8 (1,1)
	ORINMIG 2 (alumnos de origen inmigrante 10-20%)	-2,3 (-0,5)
	ORINMIG 3 (alumnos de origen inmigrante >20%)	-11,6[b] (-2,2)
	CLIMAED (años escolarización padres/madres centro)	10,9[a] (3,6)
	PCCHICAS (% chicas en la escuela)	35,7[b] (2,6)
Escolar 3. Recursos de la escuela		
	PROFALUM (ratio profesor-alumno)	0,3 (0,6)
	TAMCLAS (Tamaño clase)	-0,1

	(-0,7)
COMPWEB (% ordenadores conectados web)	-8,3
	(-1,4)
RATORDEN (ratio ordenadores para enseñanza)	-33,2[c]
	(-1,8)
ORIENTESC (orientador empleado por la escuela)	13,6[a]
	(4,9)

Escolar 4. Procesos educativos en la escuela

AUTCONT (autonomía contratación profesorado)	13,7[b]
	(2,0)
AUTPRESU (autonomía presupuestaria)	8,0[a]
	(2,9)
AUTCONTE (autonomía contenidos)	-5,9[b]
	(-2,6)
AGRDIFCL (agrup. alumnos entre clases)	-0,6
	(0,3)
AGRINTCL (agrup. alumnos en el interior de la clase)	-1,9
	(-0,8)

Notas: [a] significativa al 1%; [b] significativa al 5%; [c] significativa al 10%. t-estadísticos entre paréntesis.

Capítulo VII
RESULTADOS ESCOLARES:
UN INDICADOR PARA LA MEJORA

Fernando Sánchez-Pascuala Neira
Viceconsejero de Educación Escolar de Castilla y León

1. MODELOS EXPLICATIVOS DE LOS RESULTADOS ESCOLARES

La intención de mi aportación es poner en valor el papel de la política educativa a la hora de incidir sobre los resultados educativos.

Esta puesta en valor de la política educativa requiere polemizar con las posturas que sobrevaloran el impacto de los factores ajenos a la educación y defienden una suerte de superinfluencia del contexto. Se trata de posturas que resultan peligrosamente cómodas ya que, por un lado, anulan o devalúan la posibilidad de actuación de los gestores de la educación y por otro lado, propician la aparición de actitudes fatalistas en los protagonistas de la educación que pueden mellar su implicación en la misión educativa.

Frente a estas posturas, reconocer el papel de la Administración educativa es un acto de honestidad política, puesto que implica reivindicar la responsabilidad de los representantes políticos sobre los resultados y, consecuentemente, la necesidad de rendir permanentemente cuentas a los ciudadanos sobre la evolución de los indicadores.

Pero, en cualquier caso, la atribución de causas y resultados no es un tema de convicciones sino de comprobaciones. De manera que en el curso de mi intervención intentaré aportar alguna información empírica que ayude al análisis. Esta precisión en los datos es fundamental para aportar el rigor que necesita el estudio de los resultados educativos. Lamentablemente, este rigor no es la norma en muchos de los análisis, puesto que al tratarse de un campo en debate y conflicto permanente, con demasiada frecuencia se genera desinformación como respuesta a la publicación de los resultados de las evaluaciones nacionales e internacionales.

Como decía John Fitzgerald Kennedy: "El éxito tiene muchos padres, pero el fracaso es huérfano". De esta manera, si los resultados educativos son malos, no es raro atribuirlos a variables contextuales y cuando son buenos, es habitual observar apropiaciones particularistas del logro. Apurando la frase del malogrado presidente norteamericano, y si me permiten una expresión coloquial, necesitaríamos realizar "pruebas de paternidad" para determinar qué factores son responsables de los resultados educativos. Lamentablemente no es fácil en los sistemas sociales encontrar causas únicas o principales. La atribución sigue siendo uno de nuestros principales problemas.

Como aportación a este objetivo y reconociendo que quizás es una síntesis excesiva, propongo agrupar las explicaciones de los resultados educativos en tres tipos de posturas: las antiescolares, las oportunistas y las sistémicas.

▸ En primer lugar, la que podríamos llamar la postura antiescolar.

La ciencia social ha investigado con exhaustividad cómo los resultados académicos están condicionados por variables como la clase social de las familias o los niveles de desarrollo social, económico y cultural de las comunidades. Las conclusiones de este trabajo investigador son claras: las variables sociales condicionan los resultados educativos pero nunca de manera mecánica ni determinista.

A pesar de ello, es frecuente la sobrevaloración de estas variables hasta el punto de generar discursos en los que se transmite la idea de que la acción educativa sólo sirve para dar cumplimiento a una trayectoria que ya estaba escrita. Un buen ejemplo de este hecho se produce ante la publicación de los resultados educativos de las comunidades autónomas, cuando aquellos que cuentan con peores resultados se intentan autojustificar partiendo de variables que nada tienen que ver con la educación: desde la dinámica del mercado de trabajo, a la renta per cápita. Es una versión sofisticada de la frase "la culpa es de la sociedad", que siempre ha sido un eslogan de aquellos que rechazan su propia responsabilidad.

No cabe duda de que todas estas variables tienen incidencia y que en determinados contextos históricos y geográficos han sido determinantes. Pero en la sociedad española, con sus 35 años de experiencia democrática y con una Constitución que no ha perdido su vigencia, hemos logrado desarrollar un estado social y democrático en el que estas variables influyen pero no determinan.

De esta manera, en la reciente Evaluación General de Diagnóstico se comprueba que el Índice de Desarrollo Social, Económico y Cultural de las familias es un buen predictor de los resultados, pero también que muchas comunidades autónomas, como la misma Castilla y León, superan los resultados que cabría esperar únicamente de la media socio económica de las familias consideradas en la muestra. En este sentido, sin negar la influencia del contexto, el protagonismo de la explicación de los resultados educativos debe estar en los sistemas educativos.

▸ En segundo lugar, voy a exponer las propuestas explicativas de los resultados educativos que podríamos llamar reduccionistas y que, a veces, derivan hacia posturas oportunistas puesto que aprovechan la reflexión sobre la escuela para potenciar peticiones basadas en intereses, no en realidades.

El reduccionismo es una postura propia de una fase poco madura del pensamiento científico, supone una tentación de partida que hoy se debe superar a favor de análisis holísticos: ante cualquier problema complejo, las propuestas de simplificación suelen estar basadas en los intereses que convengan en cada momento. Y por ello, a la hora de volver a montar cada pieza generada por esa reducción es frecuente que el producto final esté más cerca de los deseos del analista que de la realidad educativa.

Este es el caso de aquellas posturas que atribuyen los resultados educativos fundamentalmente a las ratios o a las dotaciones de material y de recursos. Estas se han convertido realmente en variables mito, en verdaderos dogmas que se sostienen incluso contra la evidencia.

Ojalá fuera cierto que los resultados dependen sólo de una variable porque entonces la labor de un gestor de la educación debería ser exclusivamente manejar un aspecto, como por ejemplo conseguir recursos y dejar que la fuerza de la acumulación generara por sí misma el éxito, sin necesidad de implicarse en la gestión real de la educación.

Aunque respeta el derecho democrático de cualquier agente social a reivindicar dotaciones, plazas o ayudas económicas, sin embargo, la argumentación que ampara estas peticiones no debe basarse en interpretaciones sesgadas susceptibles de poder interpretarse como oportunistas. Este oportunismo es un riesgo siempre presente. cuando se atribuyen causas a los éxitos o fracasos educativos. Cualquier interpretación que haga depender los resultados de una o de unas pocas variables es sospechosa de miopía intelectual, cuando no de oportunismo.

▸ La tercera postura, que en mi opinión es la acertada, es la que podríamos denominar postura sistémica. La postura sistémica defiende que no existen variables determinantes de los resultados educativos consideradas de manera aislada. Son las diferentes interacciones y conjunciones de las variables las que generan mejores o peores resultados.

Desde esta postura, el objetivo no es buscar la causa fundamental o luchar sobre la mayor o menor relevancia de un factor, sino analizar cómo interactúan las diferentes variables para poder determinar relaciones efectivas entre causas. En este sentido, la estadística ayuda mucho pero no agota el análisis. La relación entre variables cambia según el momento. Los factores que eran críticos para los resultados educativos en otros momentos hoy pueden no serlo tanto.

Creo que la concepción sistémica se deriva de lo que hemos expresado y vamos a expresar en estas jornadas: en este foro se ha hablado hasta el momento sobre la importancia del profesorado en los resultados escolares, del impacto de la organización escolar y los tiempos, sobre el papel de la condición social y económica del alumnado en sus resultados, también sobre el papel de las competencias básicas para mejorar estos resultados y la organización de los centros, y en este momento estamos hablando de las políticas educativas y los resultados escolares. Todavía quedan por comentarse la influencia del género en los resultados escolares y el rendimiento académico, la influencia de las TIC y las Redes de Innovación educativa, la de la implicación de los padres sobre la mejoría del clima escolar y sus resultados, y la de las comunidades de aprendizaje como alternativa para mejorar los resultados escolares, la organización escolar y la convivencia.

Es importante comprobar que en este caso, la postura sistémica no invalida las reflexiones de las otras dos posturas, simplemente las pone en su justo papel. Efectivamente las ratio de aula influyen, la situación económica influye, pero ni son las variables determinantes ni son las únicas variables.

Las políticas educativas macro influyen de manera fundamental, las estrategias de cada centro influyen determinantemente, las decisiones de las familia influyen, la actitud del alumno es clave y condiciona la influencia del resto de variables. Incluso desde un sentido estricto, los resultados escolares son parte del sistema, no son una variable interviniente no controlable, por tanto no deben observarse únicamente como un efecto que resulta en el sistema educativo de forma casual y que sólo está unida al alumno, es un indicador de calidad del sistema y de cada centro.

La primera repercusión de asumir como válida esta postura es que nos ayuda a interpretar de una manera coherente el papel de la Administración educativa. Los gestores públicos no son un factor más que compite con el contexto o con la influencia de las familias, al contrario, son los que gestionan todo un sistema social compuesto por muchas variables para facilitar la correcta alineación de todos estos factores para conseguir unos resultados.

La Administración educativa no consigue por sí sola los resultados, pero tiene la potestad legítimamente respaldada de gestionar las relaciones del sistema y esto hace que tenga una gran capacidad para promover la mejora de los resultados. Por decirlo de una manera sencilla, desde una óptica liberal el papel de la función pública es gestionar sistemas y facilitar las relaciones entre los agentes. Precisamente la Administración Educativa no tiene que resignarse a que las variables determinen los resultados, sino todo lo contrario, determinar la política educativa que conlleve una mejora de los resultados educativos teniendo en cuenta todas esas variables externas.

La visión sistémica no supone un relativismo respecto a la posibilidad de analizar la relación entre los diferentes factores y los resultados. El conocimiento científico ayuda y mucho, pero es necesario adaptar este conocimiento a cada caso, analizando la configuración de cada variable para cada situación. En caso contrario podemos encontrarnos con que las medidas que han sido exitosas en un contexto no lo sean en otro.

Este es el espíritu que quiero trasladar en mi interpretación de la situación de Castilla y León, que expondré a continuación. Considero sin autocomplacencia que la política educativa de esta Comunidad ha tenido un papel relevante en estos resultados, pero no está en mi ánimo vender fórmulas de éxito, sino aportar información sobre la experiencia de Castilla y León para que cada cual pueda adaptar lo que le considere sugerente o le parezca eficaz en su contexto.

2. LOS RESULTADOS EDUCATIVOS EN CASTILLA Y LEÓN

La Comunidad de Castilla y León, de la cual nos separan pocos kilómetros desde Santander, supongo que será suficientemente conocida por la mayoría de los asistentes. No obstante, por deferencia a aquellos que venga de fuera de España y no hayan tenido ocasión de familiarizarse con nuestra geografía, simplemente recordar que es la Comunidad más extensa de España, con poca densidad de población debido a este hecho, y que cuenta con una gran presencia de población rural, lo que supone una fuerte exigencia a nuestro sistema educativo.

En cuanto al hecho educativo, tenemos motivos para suponer que estamos evolucionando en el buen sentido. Desde el momento de la transferencia de competencias en educación, esta Comunidad ha evolucionado hacia una reducción prácticamente continua de la tasa de fracaso escolar. Así, en el último año en que podemos comparar con la media nacional (curso 2006-2007), España contaba con un 30,7% de fracaso escolar mientras que Castilla y León presentaba un valor 11 puntos inferior, con un 19,4%. Igualmente, Castilla y León comparte con el País Vasco el primer puesto en esperanza de vida escolar a los 6 años.

Sin embargo, lejos de suponer una satisfacción completa para nuestra Comunidad, estos resultados nos generan una sensación agridulce derivada de dos constataciones que consideramos graves. En primer lugar, que estamos lejos de los resultados de los países de referencia en la materia. Necesitamos seguir mejorando hacia los estándares europeos de los que todavía nos separa una distancia significativa. Y en segundo lugar, que las comunidades autónomas presentan una dispersión excesiva en los niveles de éxito educativo, hecho que expresa que no existe equidad y que un escolar puede tener más o menos probabilidad de cumplir sus expectativas educativas en función del lugar de España en el que resida. Creo que todas las administraciones regionales tenemos la obligación moral de eliminar esta desigualdad y compartir nuestras experiencias, motivo por el cual son especialmente relevantes los foros como en el que nos encontramos.

Los resultados de las evaluaciones muestrales también parecen respaldar la buena salud de la Educación de Castilla y León. La Evaluación General de Diagnóstico, realizada este curso por el Ministerio de Educación sobre una muestra del alumnado de 4º de Educación Primaria en cada Comunidad, arroja resultados generales muy positivos para Castilla y León.

En este sentido, Castilla y León obtiene en Competencia Lingüística un promedio de 532 puntos, situándose en segundo lugar, sólo detrás de Asturias. En el caso de la Competencia Matemática, obtiene un promedio de 525 puntos, situándose en tercer lugar, detrás de La Rioja y Navarra. Para la Competencia en el Conocimiento y la Interacción con el Mundo Físico obtiene un promedio de 540 puntos, situándose también en tercer lugar, detrás de La Rioja y Asturias; y en el caso de Competencia Social y Ciudadana, resulta un promedio de 533 puntos, ascendiendo de nuevo al segundo lugar, sólo por detrás de La Rioja.

Estos resultados a los que hemos hecho referencia, aportan una imagen positiva de la educación en Castilla y León y en este sentido nos aportan datos respecto al camino que se debe seguir. Creo que, aunque no hay fórmulas mágicas, tanto la Administración educativa como los diferentes protagonistas de la educación de Castilla y León hemos encontrado unas pautas de trabajo que están demostrando ser exitosas y de las cuales hablaré en breve.

Sin embargo, estos resultados son más satisfactorios por su tendencia que por la simple comparación con otras comunidades: mejorar respecto al pasado es siempre una buena noticia, pero estar mejor que otras comunidades españolas no lo es tanto.

En Castilla y León nos gustaría que los resultados educativos en España fueran más equilibrados y que ningún alumno español tenga más probabilidades de éxito educativo por haber nacido en una Comunidad y no en otra. Es un deseo que atiende a la necesaria vertebración de la educación. Vertebración que parte del respeto a las políticas diferenciales que desee hacer cada Comunidad, pero garantizando unas medidas que aseguren resultados coherentes y equitativos para todos los españoles.

Para el caso de Castilla y León, querría poner en cuestión el impacto de determinadas variables mito. Recuerdo que una variable mito es aquella que se utiliza como soporte de reivindicaciones. Muchas de ellas son variables realmente influyentes, pero en el discurso político y social se exagera su incidencia para lograr intereses.

Por ejemplo, la asociación entre gasto público por alumno y resultados es firme pero no es un ajuste perfecto, como indica el esfuerzo de gasto en comunidades como Baleares que no se traducen en una tasa de graduación en ESO relacionada con este esfuerzo. El mismo Madrid obtiene resultados superiores a lo que le correspondería por el gasto público (duodécimo puesto por gasto público, octavo por resultados).

La población inmigrante tampoco opera como un factor condicionante grave, como expresa que comunidades como La Rioja presenten buenos resultados en la Evaluación General de Diagnóstico y sea la comunidad con más población inmigrante según la Evaluación General de Diagnóstico. En Castilla y León tenemos una población inmigrante levemente inferior a la media pero esta variable no parece afectar al signo de los resultados educativos.

Respecto a la gran vaca sagrada de las reivindicaciones de impacto, la ratio profesores/alumnos, nuevamente vemos que existe correlación entre este factor y los resultados, pero es una correlación débil y con muchas excepciones. Esto es fácil comprobarlo con el diverso comportamiento de los resultados en el caso de las Islas Baleares, con una ratio mejor que la media nacional y unos resultados claramente inferiores, y el caso de la Rioja que es exactamente el inverso. En el caso de Castilla y León contamos con una de las mejores ratio de España y con unos buenos resultados educativos, pero no está clara la fuerza de este factor en los resultados.

Respecto al impacto de los aspectos sociales, económicos y culturales, existe un gran bagaje de investigaciones. Por su carácter reciente voy a comentar los resultados aparecidos en la Evaluación General de Diagnóstico que correlacionan el ISEC (Índice Socio Económico y Cultural), y el rendimiento del alumnado, como expresión de una medida de equidad dentro del sistema educativo. Las variables que tiene en cuenta el ISEC son el nivel de estudios de los padres, su ocupación, el número de libros en casa, y los recursos domésticos (disponibilidad de adecuado lugar de estudio, conexión a Internet, número de libros de lectura, número de televisores).

Cabe señalar que, en principio, el cálculo de correlaciones expresa una asociación entre estas variables y los resultados académicos, lo que no impide que existan casos por encima o debajo de los valores que se podrían esperar. Este es el caso de Castilla y León, que obtiene, en todas las pruebas vinculadas a las competencias evaluadas, unos resultados superiores a lo que se podría esperar según la función de correlación entre éstos y el ISEC.

De este modo, parece claro que son muchas las variables que afectan a los resultados educativos, pero ninguna de ellas de manera determinante. Caen así por tierra las ideas de las variables mito. Si todas afectan, ninguna afecta. Por otra parte, la presencia de excepciones dificulta la comprensión.

No querría concluir mi intervención sin una llamada a la acción: del planteamiento sistémico no deben derivarse interpretaciones de pasividad. Al contrario, el papel de la Administración pública debe ser gestionar todas estas variables para diseñar políticas que logren ser eficaces, y en este campo la creatividad y la innovación no tienen límite.

Mi intención es expresar una serie de medidas que en Castilla y León han tenido éxito, que han incidido en muchos aspectos del sistema educativo y finalmente han tenido impacto positivo en los resultados. La finalidad de estas medidas es la reducción del fracaso escolar que se constituye como un objetivo educativo prioritario en cada nivel de decisión, su existencia es inadmisible y su extinción debe ir unida al incremento de la exigencia y al reconocimiento de acciones diferenciadoras de aptitudes y actitudes de los alumnos ofreciendo oportunidades de recuperación basadas en oportunidades de esfuerzo.

3. POLÍTICAS Y ACTUACIONES CON IMPACTO EN LOS RESULTADOS

Uno de los Programas que realmente ha incidido en los resultados educativos de Castilla y León ha sido el que hemos denominado Programa de Éxito Educativo. Se trata de un Programa más definido por sus objetivos que por sus medidas. Es decir, el objetivo fundamental es la reducción del fracaso escolar, y para ello se parte de la convicción de que es necesario realizar actuaciones de refuerzo en todos aquellos aspectos que están obstaculizando la consecución del éxito educativo.

De esta manera, incluye medidas como la incorporación de un profesor de refuerzo en 2º, 4º y 6º de Educación Primaria, la impartición de clases extraordinarias a alumnos de 1º ESO fuera del período lectivo –durante las tardes–, la impartición de clases extraordinarias a alumnos de 3º y 4º ESO fuera de período lectivo –a lo largo de mayo y junio– y también en julio, para 4º ESO. Además, incluye un curso preparatorio a las pruebas de acceso a ciclos formativos de grado superior, ha generalizado las actuaciones de acogida al alumnado de primero de la ESO, se ha vinculado con actuaciones de mejora de convivencia, se han hecho actuaciones para los padres...

Detrás de estas medidas hay una evaluación previa que determina en qué momento se generan fases críticas en la trayectoria del alumnado que puedan incidir en su fracaso escolar. Y el Programa de Éxito Educativo, partiendo del protagonismo del concepto de refuerzo, incide en estos momentos.

Este Programa de Éxito Educativo tuvo que enfrentarse a los apologistas de una las variables mito: la ratio de alumno/profesor. Castilla y León está en estos momentos, y lo estaba también en el momento de proponer el Programa, bien posicionada en comparación con la media nacional de ratios alumno/profesor. A pesar de ello la idea de realizar actuaciones de refuerzo contó con oposición por parte de las posturas más proclives a dividir grupos.

El tiempo nos ha dado la razón en términos de resultados. Sería excesivamente complejo detallar los indicadores de éxito de cada medida, pero la evaluación ha demostrado que la titulación en los cursos en los que se han realizado las medidas de refuerzo se ha incrementado, tanto en junio como en septiembre. Los resultados de los alumnos inscritos frente a los no inscritos en acciones como las clases extraordinarias son claramente superiores.

La satisfacción de las familias también ha sido alta y esto es especialmente meritorio porque la participación en el Programa ha llevado asociado un esfuerzo para ellas, con el compromiso de cumplimiento de la asistencia a las clases extraordinarias, la implicación de los padres, etcétera, y a pesar de ello han sido bien valoradas.

Pero lo realmente importante del Programa de Éxito es la filosofía que en éste subyace. La idea es aportar el refuerzo que demande cada tipo de centro y cada etapa formativa, y así, este año hemos desarrollado actuaciones específicas y un proyecto piloto con los centros que acumulan más fracaso escolar y mayor número de incidencias relativas a problemas de convivencia.

Con esa filosofía me gustaría concluir, porque en aparente contradicción con la postura sistémica que he defendido hasta el momento, deseo proponer un factor que realmente es el único condicionante clave de los resultados educativos y éste es la variable esfuerzo. Sin embargo, tal como la voy a definir, esta variable toma un carácter muy global, muy sistémico, y de ahí la contradicción sólo en apariencia.

En mi opinión, el éxito educativo depende del esfuerzo político, del esfuerzo presupuestario, del organizativo, del profesional, del esfuerzo familiar y, particularmente, del esfuerzo del alumnado. Seguramente el último es el que genera más valor añadido y es el esfuerzo fundamental y sobre el que se alinean todas las actuaciones anteriores.

Si el apoyo que se da al alumno fomenta su pasividad y su desimplicación, estaremos desarrollando ese tipo de "ayuda" que incrementa los problemas. En este sentido quiero ser claro: en Castilla y León hemos defendido la exigencia de resultados académicos para la promoción de curso, y hemos planteado criterios rigurosos para titular en ESO.

La repetición es un instrumento pedagógico que puede tener un uso conveniente o desafortunado. No es una panacea por sí misma. En Castilla y León estamos en condiciones de afirmar que ha resultado ser una medida eficaz y afortunada ya que permite un incremento sustancial de la titulación básica por estar basada en criterios de exigencia, ya que los alumnos no promocionan con Lengua y Matemáticas suspensas, ni se titulan en Secundaria Obligatoria con más de cuatro asignaturas suspensas.

No obstante, insisto, la repetición desprovista de un planteamiento de fondo no es eficaz. Otras comunidades, con parecidas tasas de idoneidad que Castilla y León, presentan resultados de fracaso escolar manifiestamente mayores y peores tasas de titulación en Bachillerato. Este hecho ha generado que en determinados indicadores estemos peor posicionados, por ejemplo, en las tasas de idoneidad: el porcentaje de alumnos de Castilla y León que está en el curso que, por edad, le corresponde es ligeramente menor que en otras comunidades.

Ahora bien, si con este hecho se incrementan las tasas de graduación, tanto en la ESO como en las enseñanzas postobligatorias, creemos que es un coste que se debe asumir. Y no sólo por nosotros, como gestores de la educación, y como primeros interesados en ofrecer unos buenos resultados a la sociedad, sino también por el alumnado, como individuo que tiene todo un futuro por delante. Personalmente, y visto desde la madurez, preferiría que me hiciesen repetir curso cuando todavía tengo camino por delante y es posible y relativamente fácil reorientar la situación, que cuando me encuentro en un momento académico y actitudinal muy diferente, casi sin tiempo ni motivación para enmendar carencias ya profundamente arraigadas.

En mi opinión, por tanto, hacer derivar los resultados educativos de la variable esfuerzo no es reduccionismo: es recuperar el verdadero papel que tiene la educación y volver a centrar el debate en factores educativos. Es volver a creer en la escuela.

Capítulo VIII
UN SISTEMA ESCOLAR DE ÉXITO

M. Ozcariz
Universidad del País Vasco

Cuando hablé con María Vieites para preguntarle acerca de la participación en esta mesa redonda me planteaba su interés en centrar mi intervención en el análisis de las actuaciones que se llevan a cabo en mi comunidad autónoma, Euskadi, para lograr, o dicho con más precisión, para intentar mejorar el éxito del sistema educativo. Por tanto, permitidme, en primer lugar una reflexión acerca de qué es para nosotros el éxito escolar, concepto demasiado amplio y difuso.

Para nosotros un sistema escolar de éxito debe reunir tres características:

Asegurar la equidad

Favorecer la innovación

Buscar la excelencia

Un sistema asegura la equidad si responde de manera específica a las necesidades sociales de su población y a la diversidad de situaciones. Por tanto, debe impulsar medidas que favorezcan la plena escolarización del alumnado en todas las etapas educativas. Debe intentar reducir las tasas de abandono escolar y debe responder a la diversidad. Es decir, además de captar al alumnado debe propiciar su permanencia y progresión en el sistema, para lo cual es necesario que oferte diversidad de soluciones para un alumnado con capacidades, características e intereses también diversos.

Un sistema de éxito debe también disponer de los recursos y de los procesos para impulsar y provocar la innovación de manera continua.

Debe además buscar la excelencia. Esta búsqueda debe centrarse en los resultados y en los procesos educativos, por tanto el sistema debe prestar atención tanto al producto final de la educación (los aprendizajes y la formación del alumnado) como a los procesos de enseñanza y aprendizaje.

Partiendo de estas tres características voy a analizar la situación del sistema educativo vasco, exponiendo las acciones que estamos llevando a cabo, a la vez que remarcaré aquellos campos de actuación en los que debemos incidir en los próximos cursos de manera específica.

1. ASEGURAR LA EQUIDAD

De las tres características, yo diría que la de "asegurar la equidad" es una de las fortalezas de nuestro sistema educativo:

– Niveles altos de escolarización en todas las etapas educativas: 94% en dos años, oferta de un 50% en 0-2 años.

– Tasa de abandono escolar temprano de (14,7%) similar a la europea, lejos aún del objetivo del 10% pero muy inferior a la media estatal, (tenemos aún el reto de hacerla descender y de aminorar las diferencias entre chicos y chicas).

– Tasas altas de graduación tanto en la ESO como en la postobligatoria. (90% en ESO; 80% en postobligatoria y 33% en FP superior).

– Buenos resultados en relación con el progreso en el sistema educativo del alumnado:

Alta tasa de idoneidad: 88% en 12 años y 71% en 15.

Baja tasa de repeticiones: 4,2 en 6º de EP y 9,4% en 4º ESO.

Podríamos decir que estamos proporcionando una respuesta eficaz a la progresión y permanencia del alumnado dentro del sistema educativo.

Me atrevería a decir que además de a las características de la propia sociedad vasca de formación, valoración de la educación y tejido industrial cualificado, el éxito se debe a que la mayor parte de los centros han interiorizado la necesidad de responder al alumnado con estrategias individualizadas y disponen de los recursos para hacerlo:

– Ratio de 1,5 en EP.

– 25 alumnos/aula en la ESO y ratio 2,46.

– Desdobles de 3 horas en grupos de 20 alumnos de ESO.

– Consultor/orientador en todos los centros.

– Programa de refuerzo educativo específico en 1º y 2º de ESO en 94 centros (73%).

– 19 aulas de escolarización complementaria.

– Diversificación curricular a partir de 8 alumnos.

– Programa de actividades extraescolares en 114 centros.

– PROA en 124 centros (27%).

Como se puede apreciar la inversión en educación es alta: 158,5 si situamos la media en 100, y lo que es más importante, lo viene siendo de forma sostenida.

Podemos decir, por tanto, que el esfuerzo que la sociedad realiza con la educación es generoso.

2. FAVORECE LA INNOVACIÓN

El sistema educativo vasco es, sin lugar a dudas, complejo, muy complejo. Un sistema educativo bilingüe con características diferentes al resto de las comunidades autónomas bilingües:

– Distancia lingüística entre ambas lenguas oficiales.

– Baja tasa de hablantes y muy desigualmente distribuida.

– Desconocimiento de la lengua por una parte importante del profesorado.

Esta complejidad genera un coste económico y humano importante pero a la vez genera la necesidad de poner en marcha estrategias de innovación y formación que inciden en su permanente actualización. Este es sin duda nuestro caso, en el que contamos con una importante red de servicios de apoyo (400 profesores) y una inversión en formación e innovación superior a 20 millones de euros.

Dos son los retos de futuro que tenemos en el ámbito de la innovación:

– Fomento de las redes de centros.

– Experimentación del Marco de Educación trilingüe.

El objetivo final de este programa es el de repensar el tratamiento que damos a las lenguas, que en un sistema como el nuestro, en el cual el peso de las áreas lingüísticas en el conjunto del currículo es muy alto, reviste una importancia capital, ya que corremos el riesgo de que el impacto de las áreas lingüísticas incida de manera negativa en otras áreas del currículo.

3. BUSCA LA EXCELENCIA

Este es el gran reto que tenemos para los próximos años, la búsqueda de la excelencia.

Si bien el sistema educativo vasco tiene unos buenos indicadores en relación con los objetivos europeos, los resultados de PISA, y los de las diferentes evaluaciones de diagnóstico, nos indican que es muy eficiente en atender al alumnado con unos niveles de ISEC bajos, y lo es menos con el alumnado y los centros de ISEC alto.

Tal vez en ese delicado equilibrio entre la equidad y la excelencia, hemos concentrado los esfuerzos en la equidad y no hemos prestado la suficiente atención a la excelencia.

Este es para el Departamento de Educación el reto de futuro, conseguir que el porcentaje de alumnado que se sitúa en los niveles inferiores de logro de cada una de las competencias vaya disminuyendo, a la vez que aumenta el que consigue alto nivel de logro.

Para ello el elemento clave lo constituyen los resultados de las evaluaciones de diagnóstico y el impulso a los planes de mejora que, fruto de su análisis, elaboren los centros. Desde el análisis de los resultados debemos revisar las estrategias y los procesos de enseñanza y aprendizaje.

Por el interés estratégico que tiene para nosotros este proceso lo hemos diseñado con las siguientes características:

– Evaluación externa para que permita comparaciones longitudinales.

–Coordinación y actuación conjunta del ISEI, Inspección y berritzegunes.

– Vinculación de los proyectos de innovación y formación a dichos planes de mejora.

Capítulo IX
METAPOLÍTICAS PARA EL ÉXITO ESCOLAR

Francisco López Rupérez
Presidente del Consejo Escolar de la Comunidad de Madrid

1. INTRODUCCIÓN

Nunca como ahora se habían dado cita dos consensos tan amplios sobre educación, en el panorama de la opinión pública nacional y, particularmente, entre los sectores más informados de la sociedad española; sectores que miran la educación desde fuera de ella, y que, por su posición intelectual, institucional o profesional, generan opinión, tienen responsabilidades en la gestión del presente y vislumbran con preocupación la preparación del futuro colectivo. Nunca como ahora se había invocado, con pareja claridad, la mejora de la calidad de los resultados de la educación y la formación como factor decisivo para el desarrollo económico y la cohesión social. Y nunca como ahora se había dirigido la mirada hacia nuestro sistema educativo para ubicar su reforma –a partir de las evidencias que proporcionan los abundantes análisis comparativos internacionales– entre las llamadas reformas estructurales necesarias para el cambio de modelo productivo y para la sostenibilidad de nuestro estado de bienestar.

Muy probablemente, esos dos mensajes diáfanos –que resuenan con inusitada frecuencia en los medios de comunicación más influyentes de nuestro país y que alcanzan, asimismo, a amplias capas de la población– se verán acompañados con igual fuerza, y en poco tiempo, por un tercero que está en el núcleo mismo de los dos anteriores; mensaje que tiene que ver, en este caso, con esa función secular de la educación en tanto que institución social clave para la formación del individuo como persona; para la transmisión del acervo cultural; para la apropiación por las nuevas generaciones de los fundamentos en los que reposa la civilización occidental, de sus herramientas intelectuales y de sus bases morales, que explican, en buena medida, sus elevadas cotas de desarrollo humano.

Las reflexiones que, en el orden metapolítico, más adelante se exponen comparten esa convicción antes aludida de que, en el contexto propio de los países desarrollados, el sistema educativo español ha de hacer un esfuerzo notable para la mejora de su rendimiento a lo largo de la próxima década. Se parte, pues, en primer lugar, de que nuestros resultados escolares no son buenos y se acepta, como primera derivada, que el grado de acierto de nuestras políticas educativas ha sido francamente limitado.

Es indudable que la escolarización y sus condiciones han mejorado considerablemente en este último cuarto de siglo, al hilo de la intensa prosperidad económica y social experimentada por España en ese periodo histórico. Sin embargo, y en contra de lo esperado, los efectos sobre el rendimiento educativo y el éxito escolar de ese formidable incremento producido en el nivel socioeconómico del país han sido, en la más optimista de las estimaciones[3], prácticamente nulos.

En la exposición que seguirá, no se asume, pues, como válida la llamada "teoría de la indiferencia" o de la contingencia de las políticas. Desde ella se viene a postular que con todos los modelos educativos se consiguen niveles de éxito similares, siempre que se trate de países desarrollados[4]. A la postre, las diferentes políticas públicas en materia educativa vendrían a ser equivalentes, en términos de eficacia. En contra de la anterior posición, y más allá de la interpretación que al respecto se quiera hacer de los datos de PISA, cabe sostener que las políticas educativas sí que marcan las diferencias entre países. Existe suficiente evidencia empírica al respecto que muestra cómo una acción política acertada y continuada no sólo ha sido capaz de elevar el nivel formativo de los países, sino que ha incrementado significativamente su nivel de prosperidad[5].

En la última década, países de la Unión Europea con igual o inferior nivel socioeconómico y cultural que España –medido por el indicador ISEC de la OCDE– han sido capaces de avanzar significativamente en los indicadores escolares de la Estrategia de Lisboa sin que el hándicap de su herencia, en cuanto a nivel sociocultural, haya sido un obstáculo insalvable para ello[6].

---

3. Carabaña, J. (2009). *Una vindicación de la Escuela Española.* Lección inaugural del Curso Académico 2009-2010. UCM. Facultad de Educación. Centro de Formación del Profesorado.

4. Carabaña, J.(2006). "El Informe PISA, mala guía para la LOE". *El País* 06/03/2006.

5. Banco Mundial (1999). *El conocimiento al servicio del desarrollo. Informe sobre el desarrollo mundial.* Madrid: Mundiprensa.

6. López Rupérez, F. (2010). "La dimensión del problema. El fracaso escolar en España desde una perspectiva autonómica e internacional", en *En busca del éxito educativo: realidades y soluciones.* Madrid: Fundación Antena 3.

Esa convicción, de que, mediante una actuación política acertada, es posible mejorar los resultados escolares, es compartida, de manera generalizada, por los organismos multilaterales con competencias en educación. Lo es por la OCDE, lo que alimenta los esfuerzos de cooperación en el ámbito de las políticas educativas entre los países desarrollados. Lo es, asimismo, por la Unión Europea y está en la base de su "método de coordinación abierta", instaurado con ocasión de la citada Estrategia de Lisboa y que se apoya, como es sabido, en el establecimiento de objetivos comunes, en la definición de indicadores para su seguimiento y en la identificación y difusión, entre los países miembros, de las mejores prácticas en materia de políticas de educación y formación.

Así, puesto que los resultados de nuestro sistema educativo son mediocres, y en algunos casos inasumibles para un país de nuestro nivel de desarrollo, y habida cuenta de que algo tendrá que ver en ello el grado de acierto de nuestras políticas públicas en el sector educativo, se expondrá, en lo que sigue, un conjunto de orientaciones o de recomendaciones de carácter metapolítico con el propósito último de conectar en el futuro, con una mayor eficacia, las políticas educativas y los resultados escolares.

2. LA NOCIÓN DE METAPOLÍTICA Y SU INCIDENCIA EN LOS SISTEMAS EDUCATIVOS

En la ordenación de los sistemas educativos, junto con las políticas operan las metapolíticas[7], esto es, las visiones, sea de naturaleza instrumental sea de carácter esencial, en las que aquéllas se incardinan. En el primer caso, las metapolíticas aluden a ciertas orientaciones sistemáticas para concebir y desarrollar políticas. En el segundo, se trata de los fundamentos que conciernen a la concepción del hombre y de la sociedad, a los valores y a las ideas morales que se profesen y a la naturaleza de las relaciones que se postulen entre conocimiento y realidad social.

Aun cuando ambos niveles de generalidad no son del todo inconexos, la acepción del término metapolítica a la que se hará referencia a continuación alude a ese primer nivel de referencia. Esta acepción posee una proximidad semántica clara con el significado de *heurístico*. Se trata este último de un término importado del mundo de la resolución de problemas[8] y que se emplea para aludir a una receta o recomendación

---

7. López Rupérez, F. (2001). *Preparar el futuro. La educación ante los desafíos de la globalización.* Madrid: La Muralla.

8. López Rupérez, F. (1991). *La organización del conocimiento y la resolución de problemas en Física.* Madrid: CIDE. Ministerio de Educación y Ciencia.

que facilita el descubrimiento de la solución. Habida cuenta de que, a lo que parece, tenemos en nuestro país un verdadero problema a la hora de definir políticas educativas eficaces, las metapolíticas pueden muy bien ser consideradas como heurísticos en el sentido estricto del término.

Sin pretender ser exhaustivos, en lo que sigue se procederá a enunciar, justificar y desarrollar someramente cuatro metapolíticas básicas de elevada utilidad si se pretende incrementar, en un futuro próximo, el grado de acierto de nuestras políticas educativas. Esas cuatro metapolíticas son las siguientes[9]:

– Definir mejor las prioridades

– Basar las políticas en evidencias

– Adoptar enfoques sistémicos

– Evaluar y tomar en consideración el impacto de las políticas

3. DEFINIR MEJOR LAS PRIORIDADES

Si en la ordenación de las actuaciones, se considera como criterio primordial la mayor incidencia posible de éstas sobre la mejora de la calidad educativa -medida por sus resultados- el acertar en la definición de las prioridades sobre las que centrar las políticas públicas constituye un factor de éxito esencial.

En este punto, merece la pena traer a colación el llamado principio de Pareto que, en su versión original, establece –en cuanto a la eficacia de las acciones sobre sistemas complejos– lo siguiente: *"Pocos vitales, muchos triviales"*. Esa formulación del sociólogo y economista italiano Wilfredo Pareto (1848–1923), fue reformulada por Joseph Juran en la década de los cincuenta del pasado siglo y aplicada al mundo de la calidad en la gestión de las organizaciones bajo la conocida regla 20-80. Dicha regla empírica afirma que el 20% de la causas explica el 80% de los efectos.

Aplicado lo anterior a la definición de las políticas educativas, no se trata, pues, de dispersar los esfuerzos en mil y una medidas cuya influencia es pequeña, o incluso insignificante, sino de identificar ese grupo relativamente reducido de factores críticos, cuyo impacto sobre la mejora de los resultados escolares es máximo, y de concentrar sobre él las políticas educativas.

---

9. López Rupérez, F. (2010). "Una estrategia básica". *El País* 29/04/2010

En los últimos veinte años se ha generado bastante evidencia empírica sobre cuáles son los factores que explican, en mayor medida, los buenos resultados escolares de los alumnos. Pero quizás sea el trabajo de síntesis de John Hattie, de la Universidad de Auckland, el más ambicioso[10,11]. Efectuado sobre diferentes meta-análisis, la investigación de Hattie –que subtiende un total de cerca de quinientos mil estudios individuales– estableció una serie de factores gruesos que dan cuenta, en mayor grado, de las cifras de rendimiento escolar o de su varianza.

Si se ignoran los efectos de las interacciones entre los diferentes factores identificados, las características de los alumnos y sus habilidades intelectuales se sitúan en el primer lugar de la serie, al correlacionar con el rendimiento con una fuerza del 50%. A continuación, aparece el profesorado; lo que conoce y la calidad de lo que hace con sus alumnos explican hasta el 30% de la varianza de los resultados escolares. Seguidamente, se sitúan el centro escolar, la calidad de la dirección, el apoyo escolar que se facilita desde el hogar y su nivel de expectativas, y, finalmente, la interacción entre iguales. Cada uno de estos factores explica entre un 5 y un 10% de la varianza de los resultados de los alumnos, y sobre buena parte de ellos se puede operar directamente mediante políticas educativas.

Es posible relacionar lo esencial de los resultados de la investigación de Hattie y el principio de Pareto, con la ayuda de un diagrama de Pareto como el que se muestra en la figura 1. Lo que viene a recordar dicho diagrama, cuando se aplica a la priorización de las políticas educativas, es que si se centra la atención en la calidad del profesorado, en la calidad de la dirección escolar y en la calidad de las escuelas, y se acierta en las correspondientes políticas, el impacto sobre los resultados escolares será francamente sustantivo en el sentido de la mejora. A *sensu contrario,* si se cometen errores de bulto –por ejemplo, sobre el factor calidad del profesorado, cuyo impacto sobre los resultados de los alumnos es muy importante– ya se puede acertar en otras muchas políticas, que su influencia sobre los resultados escolares no será capaz de compensar los errores cometidos sobre ese factor crítico por excelencia.

---

10. Hattie, J. (2003). "Teachers Make a Difference: What is the research evidence?" Australian Council for Educational Research Annual Conference on: *Building Teacher Quality.* October 2003. pp 1-17.

11. Hattie, J. (2005). "What is the nature of evidence that makes a difference to learning?" Research Conferences 2005 - *Using data to support learning.* Australian Council for Educational Research Year 2005. pp. 11-21.

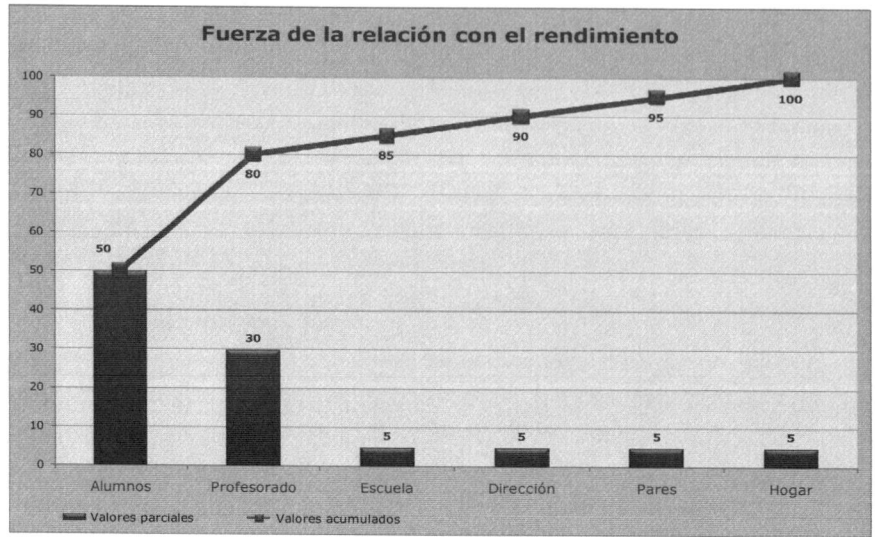

Fuente: Elaboración propia a partir de los datos de Hattie, J. (2003)

Figura 1. Diagrama de Pareto para los factores que más influyen en los resultados escolares

A este respecto, cabe citar el contenido de la disposición transitoria decimoséptima de la LOE; su renuncia, durante 5 años, a preservar procedimientos rigurosos de selección del profesorado de los centros públicos debería ser enjuiciada a la luz de los anteriores argumentos. Lo mismo cabe decir de la incapacidad de nuestras políticas para introducir un sistema apropiado de desarrollo profesional del profesorado que integre, en un todo coherente, la formación, la evaluación del desempeño y sus resultados, los incentivos y, en su caso, la promoción[12].

Otros muchos estudios sobre la influencia decisiva de la calidad del profesorado sobre el rendimiento de los alumnos –de parte de los cuales se han hecho eco informes internacionales como el de la OCDE[13] o el Informe Mc Kinsey[14]– apuntan consistentemente en la misma dirección, refuerzan los anteriores argumentos y otorgan validez empírica a nuestro primer heurístico.

---

12. López Rupérez, F. (1994). *La Gestión de Calidad en Educación*. Madrid: La Muralla.

13. OCDE (2005). *Teachers Matter. Attractting, Developping and Retainning Effective Teachers*. Paris: OCDE.

14. McKinsey & Company (2007). *How the world's best-performing school systems come out on top*. www.mckinsey.com/clientservice/.../pdf/Worlds_School_systems_final.pdf

4. BASAR LAS POLÍTICAS EN EVIDENCIAS

Esta segunda metapolítica ha atraído poderosamente la atención de organismos internacionales como la UNESCO, la OCDE o la Comisión Europea y se ha traducido en la orientación de sus programas y de sus proyectos, a través de los cuales pretenden influir sobre la definición de las políticas educativas de los países miembros. El programa PISA de la OCDE, en sus diferentes ediciones, o los sucesivos informes de la Comisión sobre el seguimiento hacia los objetivos de logro de la Estrategia de Lisboa constituyen algunos ejemplos de ese interés.

Pero también los gobiernos de los países más desarrollados están poniendo en marcha iniciativas orientadas a suministrar evidencias sobre las que apoyar la definición e implementación de las políticas y de las prácticas educativas. Tal es el caso, por ejemplo, del Ministerio de Educación de Nueva Zelanda que está desarrollando un programa orientado a recopilar las mejores evidencias. Bajo las siglas BES (Iterative Best Evidence Synthesis Programme), el programa del gobierno neozelandés se propone proporcionar "cuerpos de evidencia basados en la investigación que permitan explicar qué es lo que funciona y por qué, a fin de mejorar los valiosos resultados de la educación y lograr una mayor diferencia a favor de la formación de todos nuestros niños y jóvenes"[15].

En este mismo orden de ideas, se ha podido determinar que el factor "excelencia del profesorado" es seis veces y media más efectivo, en la mejora de los resultados escolares de los alumnos, que la reducción significativa del número de alumnos por aula[16]. Existe, de hecho, un amplio consenso entre los especialistas sobre el escaso efecto que, sobre la mejora del rendimiento de los alumnos, ejerce este segundo factor, salvo en grupos pertenecientes a medios socialmente desfavorecidos. Sin embargo, en nuestro país se ha privilegiado este hipotético elemento de mejora y se ha ignorado el que resulta empíricamente mucho más relevante.

En el ámbito de los métodos de enseñanza, distintos estudios comparativos sobre la eficacia de diferentes sistemas instructivos, efectuados siguiendo la metodología estadística del meta-análisis que agrupa múltiples trabajos individuales, han señalado, de forma consistente, la ventaja comparativa del *Learning for Mastery,* o pedagogía para el dominio. Todos ellos han puesto de manifiesto su posición privilegiada en

---

15. Ministry of Education. (2009). School Leadership and Student Outcomes: Identifying What Works and Why. BES (Iterative Best Evidence Synthesis). New Zeland. http://www.educationcounts.govt.nz/publications/series/2515/60169/60170.

16. Ehrenberg, R.G., Brewer,D.J., Gamoran, A and Douglas Willms, J. (2001). "Does Class Size Matter?". *Scientific American Magazine.* November 2001.

la jerarquía de los métodos de enseñanza más eficaces, en lo que concierne a los aspectos tanto cognitivos como afectivos de los aprendizajes[17]. A pesar de la solidez de las evidencias empíricas acumuladas a su favor, esta metodología de enseñanza que, por su carácter estructurado, por el papel que otorga a la corrección de los errores y por la importancia que confiere a la idea de retroalimentación del profesor sobre el alumno y sobre los resultados del propio aprendizaje, resulta especialmente útil para la educación básica en entornos socialmente desfavorecidos, apenas si ha recibido atención en los programas de formación permanente del profesorado.

Una de las características que ha acompañado durante el último cuarto de siglo al sistema educativo español es que, básicamente, ha vivido de espaldas a las evidencias. Probablemente la prevalencia de los compromisos políticos y la fuerza de la impronta ideológica de las leyes socialistas se hayan aliado con nuestra escasa tradición intelectual de corte empirista para dar lugar a un modelo de sistema educativo que ha puesto toda su atención en la definición de los procedimientos y en su fundamentación doctrinal, a través de una voluminosa producción normativa, y se ha olvidado de los resultados. Justamente, ha sido la influencia de PISA y de los informes de seguimiento de la Estrategia de Lisboa sobre la opinión pública española lo que está obligando a las instancias políticas de decisión a prestar atención a los resultados, empujadas, desde luego, por un contexto social y económico que es cada vez más sensible al grado de acierto de las políticas educativas y menos tolerante con sus errores.

Como parece evidente, estas dos primeras metapolíticas están relacionadas entre sí, de modo que, si de lo que se trata es de mejorar los resultados de los alumnos, será necesario apoyarse en la evidencia empírica disponible, para tener alguna seguridad en la definición de las prioridades.

5. ADOPTAR ENFOQUES SISTÉMICOS

En educación, las políticas eficaces suelen agruparse en racimos cuyos elementos están interrelacionados, de modo que pueden reforzar sus efectos mediante una suerte de bucles causales. Esta visión integrada o sistémica de las políticas no sólo incrementa su eficacia sino que acorta los tiempos necesarios para que los resultados se manifiesten.

---

17. Para una revisión completa en castellano véase López López, E. (2006). "El *mastery learning* a la luz de la investigación educativa". *Revista de Educación*, 340. Mayo-agosto 2006, pp. 625-665.

Como he señalado en otro lugar[18,] la adopción de enfoques sistémicos en la elaboración de políticas educativas requiere una comprensión global de las diferentes actuaciones que interesan al objetivo que se pretende conseguir, así como de sus relaciones mutuas. No obstante, y como ha subrayado con acierto Tedesco, reconocer el carácter sistémico de la educación y, por tanto, de sus políticas y de sus estrategias de mejora, no significa que sea necesario, o conveniente, modificar todo al mismo tiempo. "Significa, en cambio, que en determinado momento es preciso hacerse cargo de las consecuencias de la modificación de un elemento específico sobre el resto de los factores"[19].

En lo que sigue, se describen dos ejemplos de enfoques sistémicos, referidos a algunos de esos factores que, tras la calidad del profesorado, más influyen –según la investigación de John Hattie antes citada– sobre los resultados de los alumnos.

En primer lugar, cabe señalar el caso de las políticas para la autonomía de los centros educativos. El aumento, en principio positivo, de la autonomía escolar puede dar lugar a efectos contrarios a los deseados, a menos que se desarrollen, junto con las de autonomía, otras políticas adecuadas en materia de rendición de cuentas y de dirección escolar. La figura 2 permite ilustrar los argumentos que se exponen a continuación.

Análisis econométricos rigurosos[20] efectuados sobre la base de datos de PISA 2003 han puesto de manifiesto que la autonomía escolar, sin mecanismos de rendición de cuentas -mediante pruebas externas de final de etapa-, no contribuye positivamente al rendimiento de los alumnos. Además, el liderazgo de la dirección, para que sea efectivo, requiere un nivel suficiente de autonomía escolar. Algo similar puede decirse del liderazgo de la dirección, como condicionante de la efectividad de una mayor autonomía de los centros. Un incremento de la autonomía hace más complejo el perfil de competencias que requiere, en esas condiciones, un ejercicio eficaz de la función directiva. Si ese perfil no está asegurado, una mayor autonomía escolar puede resultar contraproducente. A su vez, una dirección escolar profesionalizada facilita los procesos de rendición de cuentas e incrementa su eficacia.

---

18. López Rupérez, F. (2001). *Preparar el futuro. La educación ante los desafíos de la globalización*. Madrid: La Muralla.

19. Tedesco, J.C. (1995). *El nuevo pacto educativo*. Madrid: Anaya.

20. Woessmann, L. *et al*. (2009). *School Accountability, Autonomy and Choice around the World*. IFO Economic Policy. Edward Elgar, Cheltenham, Reino Unido.

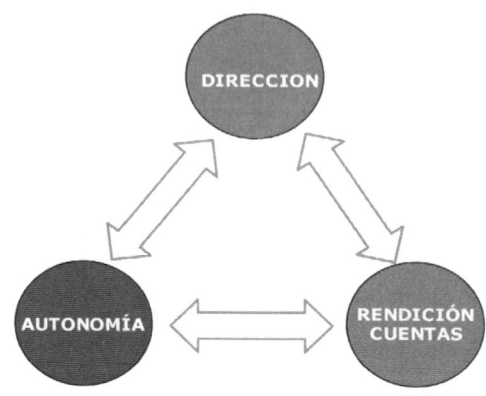

FUENTE: Elaboración propia

Figura 2. Enfoque integrado o sistémico del racimo de políticas vinculadas a la autonomía,
la dirección escolar y la rendición de cuentas

El segundo ejemplo se refiere a la relación entre los valores de los alumnos, la moral del profesorado, el clima escolar y el rendimiento académico. Un estudio publicado por el autor y realizado a partir de la base de datos de PISA 2003[21] ha permitido identificar qué factores relativos al medio escolar contribuyen a explicar nuestra posición en matemáticas, inferior a la media de los países de la OCDE y, sobre todo, a la de Finlandia, el país campeón.

De los análisis cuantitativos emergen con claridad, como elementos explicativos, el escaso compromiso de los alumnos con la tarea de estudiar, el menor sentido del esfuerzo, la menor motivación personal, el peor autoconcepto, un clima escolar más disruptivo, una moral del profesorado más baja y una menor autonomía de los centros.

Dejando a un lado el último factor, que tiene que ver con políticas de carácter organizativo, el resto de los factores parecen conectarse entre sí y con los resultados en una especie de "ovillo causal", de modo que el escaso interés de los alumnos empeora el clima escolar y reduce la moral del profesor. Esas tres circunstancias empeoran los resultados académicos, lo que actúa retroactivamente sobre la moral, tanto de alumnos como de profesores, contribuyendo a un empeoramiento adicional del rendimiento según un círculo vicioso. La figura 3 muestra gráficamente el modelo causal que es compatible con las evidencias empíricas obtenidas en el citado es-

---

21. López Rupérez, F. (2006). *El legado de la LOGSE*. Madrid: Gota a gota.

tudio. Pero este esquema causal es reversible de modo que, el círculo vicioso puede convertirse en virtuoso si se es capaz de poner en práctica políticas de mejora que, de acuerdo con esa visión sistémica, refuercen sus efectos recíprocos.

Cuando se da este tipo de mecanismos causales circulares, operando en un sentido positivo, se genera una dinámica no lineal que permite avanzar más rápidamente. Particularmente en periodos de crisis, cuando necesitamos con urgencia acelerar los procesos de mejora, estos procedimientos de avance asociados a los enfoques sistémicos se deberían tener en cuenta con una mayor frecuencia en la definición e implementación de las políticas.

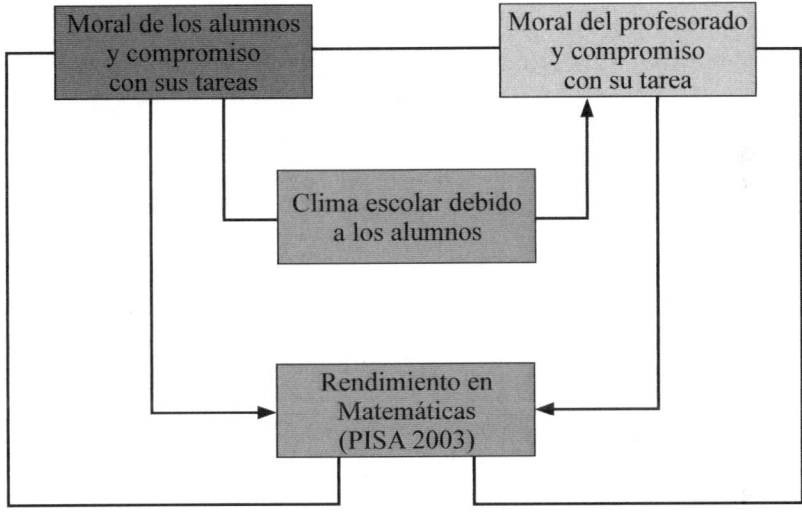

Fuente: López Rupérez, F. (2006)

Figura 3. Factores causales, relativos al medio escolar, que contribuyen a explicar los inferiores resultados de España en la prueba de Matemáticas de PISA 2003 con respecto tanto a la media OCDE como a Finlandia.

6. EVALUAR Y TOMAR EN CONSIDERACIÓN EL IMPACTO DE LAS POLÍTICAS

Entendida en un sentido muy general, la evaluación del impacto de una política educativa consiste en la determinación de los cambios, efectos o resultados producidos en el sistema educativo –o en una porción del mismo– como consecuencia de la aplicación de la correspondiente política, incluyéndose tanto los positivos como los negativos, los directos como los indirectos, los buscados como los imprevistos.

Incluso adoptando un enfoque más restringido, la evaluación del impacto de las políticas públicas:

– Contribuye a la comprensión de los fenómenos en juego, pues permite relacionar la intervención y sus características con los efectos que aquélla produce sobre la realidad social.

– Ayuda a la toma de decisiones y hace inteligentes las políticas, ya que posibilita una corrección fundada de los errores y hace posible aprender de la experiencia.

– Incrementa la eficacia y la eficiencia de las actuaciones.

– Facilita el establecimiento de mecanismos de responsabilidad, al identificar sin ambigüedad los efectos de las acciones emprendidas.

Quizás por ello la Unión Europea haya incluido, como uno de los elementos de su "Estrategia revisada para un desarrollo sostenible"[22], la evaluación del impacto de las políticas a modo de instrumento básico para mejorar sus procesos de elaboración. Una manera de incorporar esa práctica modernizadora a nuestros hábitos administrativos consistiría en hacerla prescriptiva para todas aquellas normas que comportaran la introducción en el sistema de algún cambio o innovación sustantivos.

7. A MODO DE CONCLUSIÓN

Una de las características generales de este grupo de metapolíticas, antes descrito, estriba en que su validez no se altera cuando se atraviesan los diferentes niveles o escalas organizativas de la educación. Desde el centro escolar, como unidad fundamental, hasta el sistema educativo en su conjunto, pasando por sus concreciones en las diferentes comunidades autónomas, esos cuatro heurísticos o recomendaciones conservan su utilidad a la hora de promover el acierto de las políticas y mejorar los resultados de los alumnos.

Late en el fondo de esta propiedad, y de la orientación global de mi intervención, un principio de respeto por la realidad en cualquiera de los niveles *micro, macro* o *meso* antes citados; principio que, de un modo tácito, toma en consideración la lección o advertencia que el escritor franco-holandés de finales del siglo XIX Joris-Karl Huysmans (1848-1907) dejó plasmada en la siguiente sentencia:

"La realidad no perdona que se la desprecie; se venga derrumbando los sueños, pisoteándolos y arrojándolos en pedazos sobre un montón de fango" (Là-bas, 1891).

---

22. Consejo de la Unión Europea (2006). *Estrategia revisada de la U.E. para un desarrollo sostenible.* 10117/06, Anexo.

Capítulo X
LAS POLÍTICAS EDUCATIVAS
Y LOS RESULTADOS ESCOLARES

Felipe Gómez Valhondo
Director General de Política Educativa. Junta de Extremadura

Quisiera exponer, muy brevemente, los rasgos característicos que han definido las políticas educativas llevadas a cabo en Extremadura en los últimos años, así como los resultados obtenidos.

No me resisto a hacer una referencia a los momentos que vive el nacimiento de lo que será la primera Ley de Educación de Extremadura.

1. TECNOLOGÍAS DE LA INFORMACIÓN Y LA COMUNICACIÓN

1.1. Infraestructuras tecnológicas

En el momento de asumir las competencias en materia educativa, la Junta de Extremadura se vio en la obligación de hacer frente a numerosas deficiencias arrastradas históricamente, tanto a nivel de infraestructuras como de dotación de profesorado. Al mismo tiempo, se era plenamente consciente de que Extremadura, que había perdido la revolución agrícola e industrial, no estaba dispuesta a perder también la revolución tecnológica.

Por ello, desde ese momento hasta ahora, se viene haciendo una firme apuesta para la incorporación real y efectiva de las Tecnologías de la Información y la Comunicación (TIC) a la educación, fomentando eficazmente su uso. Así, ya en 1999 se diseñó el Plan Estratégico para el desarrollo de la Sociedad de la Información, con el que se pretendía superar el modelo anterior basado en el aula informática y, a partir del año 2000, con la Red Tecnológica Educativa (RTE), se instalaron servicios de voz y banda ancha en 1.478 edificios. Todos los centros disponían de espacio web, 15.000 cuentas de correo electrónico, surgiendo el concepto de aula tecnológica. Se instaló en los equipos un sistema operativo basado en *software* libre (gnu/Linex) fácilmente adaptable y configurable y, sobre todo, "altamente rentable" para la Administración autonómica. Se elaboró también Linex Colegios, como la primera adaptación pedagógica de este sistema operativo, con tres escritorios para los distintos niveles educativos de los centros de Educación Infantil y Primaria. A partir de esta experiencia tecnológica, surgirían después otros sistemas operativos no propietarios como Guadalinex, LliureX, Molinux o Max.

1.2. Nuevos retos

La apuesta por la dotación en infraestructuras tecnológicas, ha generado nuevos retos y necesidades. Para darles respuesta, se ha desarrollado un ambicioso Plan de formación del profesorado en TIC, con 1.800 actividades formativas, un total de 65.000 horas, que ha obtenido una alta participación del profesorado extremeño. Ha habido que atender las necesidades de formación en este campo de nuevos colectivos tales como los administradores informáticos y educadores sociales, fomentándose a su vez la formación en los propios centros.

Por otra parte, en lo que se refiere a organización de centros, se creó la figura del coordinador TIC, un docente que recibe, por su dedicación y cualificación, un complemento económico y reducción horaria. Todos los centros de Educación Secundaria cuentan con un administrador informático y, a su vez, en cada CPR existe otro para atender a los centros de Educación Infantil y Primaria de su demarcación.

Tras la creación de la estructura física de la Red Tecnológica Educativa, se consigue un impulso al uso eficaz de las TIC mediante la creación del Grupo de Software Educativo Extremeño (GSEEX), un grupo de profesores liberados de toda actividad docente, destinado a colaborar con los profesores y profesoras de Extremadura en la creación de nuevos materiales interactivos y atender sus demandas de información para construir una comunidad educativa viva y dinámica que emplee las TIC como un elemento primordial de su trabajo.

Así mismo, la Consejería de Educación convoca anualmente las ayudas para la elaboración y desarrollo de materiales educativos digitales, donde los docentes pueden recibir hasta un máximo de 18.000 euros para desarrollar proyectos educativos relacionados con las TIC.

En la misma línea, los premios "Joaquín Sama", que se convocan anualmente para los trabajos o experiencias pedagógicas de innovación educativa de profesores o equipos de profesores en activo que desarrollen su labor docente en niveles no universitarios de la Comunidad Autónoma de Extremadura, incluyen un apartado dirigido específicamente a premiar aquellos trabajos que supongan la creación de aplicaciones, programas o sistemas interactivos, que faciliten el acceso a contenidos curriculares a través de las nuevas tecnologías y que funcionen sobre entorno gnu/ LinEx y en red.

Con estas actuaciones no se hace sino seguir las conclusiones e indicaciones de las numerosas cumbres y estudios nacionales e internacionales, en las que se asignan a las TIC enormes posibilidades para aportar calidad educativa a los procesos de enseñanza-aprendizaje.

Sin embargo, mantener actualizado y plenamente operativo el parque tecnológico es una necesidad ineludible si se desea acceder a las herramientas y recursos más modernos. Para ello, se precisan soluciones imaginativas, para mejorar la eficacia y bajar costes, armonizando la actualización y recursos con la contención del gasto.

En esa perspectiva, se ha ampliado la vida útil de los ordenadores, preparando el aula para los portátiles, mediante la sustitución del ordenador del profesor por un ordenador-servidor que esté asumiendo los procesos de cálculo e instalando un cable adicional entre el nuevo servidor y los ordenadores. Al emplear *software* libre y de código abierto en los equipos informáticos, la realización de todos estos cambios se hace con un coste cero para la Administración.

Hay que referirse también al Centro de Nacional de Desarrollo Curricular en Sistemas no Propietarios (CeDeC), que es un organismo surgido de la colaboración del Ministerio de Educación con la Consejería de Educación de la Junta de Extremadura y dependiente orgánicamente del ITE (Instituto de Tecnologías Educativas). Su finalidad es el diseño, promoción y desarrollo de materiales educativos digitales a través del *software* libre, para poner a disposición de toda la comunidad educativa materiales y recursos digitales de libre acceso que permitan profundizar en la implantación de las TIC en el ámbito educativo.

Con la misma finalidad, la Consejería de Educación ha creado la 'televisión educativa extremeña', que, bajo el nombre de 'Mercurio. Portal multimedia educativo de Extremadura', pretende ser una plataforma para el intercambio de recursos audiovisuales entre los miembros de la comunidad educativa (profesorado, alumnado, familias y sociedad en general).

Por su parte, "Rayuela" es el nombre de una plataforma educativa para la completa gestión y comunicación de los centros que funciona las 24 horas al día. Un avanzado sistema de información que, vía Internet, permite a los centros la gestión integral de sus datos y a las familias el acceso a ellos y, sobre todo, es el punto de encuentro de aquellos y aquellas que participan en la educación. Instalada en todos los centros públicos, permite realizar el seguimiento del alumnado (calificaciones, ausencias, controles…) para mejorar su rendimiento académico. Todos los padres y madres se encuentran registrados en la plataforma Rayuela, desde la que se envían diariamente sms gratuitos informando de las ausencias del alumnado.

En los momentos actuales, la Consejería de Educación se encuentra inmersa en la implantación del Programa Escuela 2.0 desarrollando la nueva aula tecnológica en los centros educativos extremeños mediante la incorporación de ordenadores portátiles. Estos equipos informáticos presentan numerosas ventajas, como la autonomía personal, ya que cada alumno y profesor disponen de su propio ordenador, y la responsabilidad individual al hacerse cargo de su equipo. Por otra parte, con los ordenadores portátiles se fomenta la integración fuera del aula, mostrando independencia del centro; existe menos intrusismo en el espacio físico de la mesa del alumnado al tener menor tamaño; y especialmente favorable es su ligereza y también menor consumo eléctrico respecto al consumo actual de la CPU. Todo está preparado de tal forma que, una vez en el centro, al arrancar el ordenador portátil, si detecta el ordenador servidor, se convertirá en un ordenador terminal.

2. IDIOMAS

Otra de las principales apuestas de la Junta de Extremadura es la contribución a la construcción de Europa, donde la idea global es un hecho y la interrelación de los pueblos es más que una realidad, evitando los localismos. Extremadura tiene que poner los cimientos suficientes para abrirse a Europa, y por este motivo es importante conocer idiomas.

La Junta de Extremadura, desde que asumió las competencias en materia educativa, ha tenido siempre muy presente la importancia decisiva que la enseñanza-aprendizaje de las lenguas extranjeras tenía y tiene en la formación y en el desarrollo personal y profesional, tanto del profesorado como del alumnado extremeño. Por ello, la Consejería de Educación ha puesto en marcha diversas actuaciones en el ámbito de la enseñanza de las lenguas extranjeras, siendo pionera en algunas iniciativas tales como la implantación del Inglés en la Educación Infantil, a partir de los 3 años, implantación de una segunda lengua extranjera en el tercer ciclo de Educación Primaria, tercer idioma extranjero (alemán / portugués), aumento de auxiliares de conversación, creación de secciones bilingües… Además de la implementación de programas educativos de carácter intercultural como el Programa de Lengua y Cultura portuguesa, existe la importante apuesta de hacer del portugués el segundo idioma, mediante el Plan Portugal y la participación activa en el desarrollo de proyectos transfronterizos dentro de la EUROACE (Eurorregión Alentejo-Centro-Extremadura) .En la actualidad se imparte ya portugués en 51 centros (4.000 alumnos).

2.1. Plan Linguaex

Para alcanzar la competencia comunicativa en lenguas extranjeras, acorde con los retos de la Europa del siglo XXI, la Consejería de Educación puso en marcha el *Plan Linguaex*, que se desarrolla desde el año 2009 y finalizará en el 2015, basándose en cuatro aspectos fundamentales: la formación del profesorado, pilar básico y necesario sobre el que se asienta el sistema educativo; la formación del alumnado, jóvenes cuya formación tiene que estar abierta a Europa y al mundo; la creación de una red de centros bilingües, que se convierten así en focos de cultura europea; y la mejora de las habilidades lingüísticas de la sociedad extremeña en general, que además de dominar su lengua materna logrará expresarse en otros idiomas, así como conocer y valorar las culturas de su entorno.

Entre las diversas acciones enmarcadas en este Plan destacan las estancias formativas en Reino Unido e Irlanda para alumnado de 1º de Bachillerato y ciclos formativos según su expediente académico y renta familiar; licencias y estancias para el profesorado; becas y ayudas para las secciones bilingües y el fomento de intercambios bilaterales y multilaterales.

2.2. Acciones PAP

El Programa de Aprendizaje Permanente, que entró en vigor el 1 de enero de 2007, pretende contribuir a la creación de una sociedad del conocimiento avanzada, con un desarrollo económico sostenible, más y mejores posibilidades de empleo y mayor cohesión social. El objetivo general es facilitar el intercambio, la cooperación y la movilidad entre los sistemas de educación y formación de los países europeos que participan, de forma que se conviertan en una referencia de calidad en el mundo. Este Programa pretende promocionar la igualdad de oportunidades, conceder importancia a las TIC y fomentar el aprendizaje de las diferentes lenguas extranjeras.

Entre las principales acciones, destacan los programas Comenius (enseñanza escolar), Leonardo (formación profesional), Erasmus (universidad y ciclos formativos de grado superior) y Grundtvig (educación de adultos).

Si entre sus objetivos ha estado el llegar a los centros educativos y difundir sus programas, actualmente el PAP pretende mejorar la calidad de la educación, promocionar la movilidad del alumnado y profesorado y fomentar el aprendizaje permanente a lo largo de la vida.

En Extremadura, el 10% de los centros educativos participan en alguna modalidad del Programa de Aprendizaje Permanente.

3. ATENCIÓN A LA DIVERSIDAD

3.1. Red de centros

Cuando en el año 2000 se asumieron las competencias en educación, sólo el 33% del alumnado de primer ciclo de ESO se encontraba escolarizado en institutos de Educación Secundaria, hallándose el resto en colegios de Primaria, lo que significaba un incumplimiento grave de la LOGSE entonces vigente. Para superar esta situación ha sido necesaria la creación de 51 centros de Secundaria (un aumento del 50% respecto a los existentes hasta ese momento), lo cual ha exigido un esfuerzo inversor extraordinario en infraestructuras por parte de la Consejería de Educación, hasta constituir la red de centros amplia y bien dotada que actualmente tiene Extremadura, con la que se consigue garantizar el acceso en condiciones de igualdad, teniendo presente además la ruralidad extremeña.

A este respecto, para asegurar la permanente adecuación a las necesidades de escolarización, se creó la Comisión de actualización de la red de centros, que es el órgano consultivo e informativo en el que están representadas las asociaciones estudiantiles, sindicatos de enseñanza, Federación de Municipios y Provincias de Extremadura (FEMPEX) y los representantes de padres y madres.

3.2. Atención individualizada

Para avanzar en este objetivo, se llevó a cabo una disminución de la ratio alumnado-profesorado, haciendo especial hincapié en la potenciación de los departamentos de orientación, desdobles y refuerzos, de manera que actualmente existe una ratio de un profesor por cada 9,9 alumnos.

Así, se puede destacar que el número medio de alumnado por unidad de Educación Primaria en centros públicos es de 16,8 alumnos (curso 2007-2008), frente a los 19,7 de media en España. De la misma manera, en Educación Secundaria hay una ratio de 20,8 alumnos por unidad, frente a los 23,6 en España.

Como consecuencia del incremento de la dotación de profesorado en los centros, se puede afirmar que desde que se produjeron las transferencias en materia educativa hace 10 años, ha aumentado en 2.000 el número de docentes a pesar de que el de alumnado, por la propia estructura demográfica, ha disminuido en 20.000.

3.3. Jornada continuada

La nueva jornada escolar implantada en los centros de Educación Infantil y Primaria, mediante acuerdo de los consejos escolares respectivos, ha dado lugar a la existencia de las Actividades Formativas Complementarias, un servicio de actividades gratuitas para los centros públicos y concertados impartidas por monitores especializados en distintas áreas: TIC, artística, fomento de la lectura, dinamización deportiva… cuyo coste y gestión son asumidos por la Consejería de Educación.

3.4. Programa de refuerzo (escuela rural)

En el Programa de refuerzo de la Consejería de Educación, destinado a la mejora del éxito educativo del alumnado y con el objeto de favorecer la permanencia del alumnado se crearon los Centros Rurales Agrupados (CRA), y en la Red de Centros de Educación Secundaria, los Institutos de Educación Secundaria Obligatoria (IESO).

La Administración se comprometió a continuar en la línea de mejora de infraestructuras educativas tanto de Primaria como de Secundaria (reagrupamiento y construcción de centros en función del crecimiento demográfico y de la creación de nuevos núcleos poblacionales).

4. PARTICIPACIÓN

La educación es el medio más eficaz para preparar al ser humano en sus retos ante un entorno que cambia a ritmo vertiginoso. El futuro inmediato nos exige un esfuerzo aún mayor para que entre todos podamos dotarnos de un sistema educativo que dé respuesta a los cambios permanentes del mundo en que estamos inmersos. Nos exige que todos participemos en la mejora de la educación.

Durante los años 2005 y 2006, se celebraron jornadas de debate, de carácter regional, acerca del presente y el futuro de la educación (tanto infantil como primaria y secundaria), en el que participaron todos los sectores educativos, a través de claustros, asambleas, reuniones de AMPA, CPR… que permitió realizar un diagnóstico de la educación en Extremadura, conocer sus fortalezas y debilidades y que puso de manifiesto el acuerdo para apostar por las TIC, idiomas y atención a la diversidad.

Las conclusiones de dichos debates culminaron en un nuevo pacto suscrito entre las organizaciones sindicales y la Administración educativa, un pacto rubricado como "Acuerdo para la mejora de la calidad de la educación en el siglo XXI en Extremadura", que ha sido valorado por todas las partes tras el período de su aplicación como un verdadero hito en la historia educativa reciente de nuestra región.

Por una parte, se propuso potenciar las áreas instrumentales, asignando mayor carga lectiva a Lengua y Matemáticas, ampliando el horario de Inglés y relegando algunas materias optativas que hasta ese momento, en algunas ocasiones, servían para completar el horario del profesorado.

Hay que aludir también al Plan marco de apoyo y fomento a las bibliotecas escolares de Extremadura, que nació de los debates anunciados anteriormente y cuya principal función es crear un marco de referencia para la mejora y potenciación de las bibliotecas de los centros docentes extremeños y el fomento de la lectura, procurando que las políticas que se lleven a cabo sean eficaces y duraderas en el tiempo.

Este Plan marco, con un presupuesto inicial de tres millones de euros, se puso en marcha en el año 2006, y contiene un total de 57 medidas entre las que se encuentra la creación de la Red de Bibliotecas Escolares de Extremadura (REBEX), de la que forman parte 114 centros de Educación Primaria y Secundaria.

Entre los objetivos que se persiguen, se puede destacar la dotación, en la medida de lo posible, a todos los centros educativos públicos extremeños, con bibliotecas funcionales, modernas y con recursos, con vistas, sobre todo a mejorar el rendimiento educativo del alumnado a través de la adquisición de hábitos lectores.

Sobre la citada REBEX hay que destacar su importancia como foro de reunión e intercambio de todos los centros docentes que quieren utilizar la biblioteca escolar como un recurso imprescindible de innovación educativa. Junto a ella hay que aludir a la creación de la figura del asesor de bibliotecas escolares en cada una de las Unidades de Programas Educativos y Centros de Profesores y Recursos, la formación en bibliotecas escolares y el fomento de la lectura como una línea prioritaria dentro del Plan regional de formación del profesorado, el desarrollo del programa educativo "Leer en familia" y la creación de una página web de bibliotecas escolares.

Además, hay que tener presente la aparición en la LOE (mayo 2006) del artículo 113 sobre bibliotecas escolares, y también las competencias básicas (comunicación lingüística) para favorecer la comprensión. Que no nos ocurra como Woody Allen señalaba en una cita: "Tomé un curso de lectura rápida y fui capaz de leer *Guerra y Paz* en veinte minutos; creo que decía algo de Rusia".

Para fomentar la participación, también desarrollan un papel importante las TIC, y para ello se ha implantado un Plan de formación que favorece los programas de formación en centros, aumentando el número de cursos de formación y la creación de la figura de coordinadores TIC en los centros educativos.

Uno de los ejemplos en el que la participación de todos los sectores influye decisivamente es la convivencia en los centros.

4.1. Convivencia

El Informe de la UNESCO, conocido por Informe Delors (1997) deja bien claro aquellos pilares o saberes en los que se debe sustentar la educación del siglo XXI, entre los que se encuentra el que los alumnos aprendan en la escuela a convivir mediante la resolución pacífica de los conflictos.

Una de las percepciones más extendidas es el progresivo aumento de los problemas de convivencia en los centros educativos. No obstante, la situación actual es que el conflicto y la violencia existen en la escuela, pero sencillamente porque existen en la sociedad. No debemos olvidar que la escuela de ayer ya no existe porque tampoco existe la sociedad de ayer y que la convivencia se construye desde el respeto a través de la implicación, la complicidad y la confianza.

El Compromiso Social por la Convivencia vigente en Extremadura se basa en cinco principios: la convivencia es un compromiso de toda la sociedad; "el síntoma es la violencia y el posible diagnóstico, la enfermedad de la sociedad"; los conflictos son consustanciales a la convivencia; la solución está en la prevención; también está en las actuaciones integrales. A este compromiso se sumaron las organizaciones sindicales, la Federación de municipios y provincias de Extremadura (FEMPEX), el Consejo de la Juventud de Extremadura, la Federación Regional de Asociaciones de Padres y Madres de Alumnos (FREAPA) y la Confederación Católica de Padres de Alumnos (CONCAPA), así como las asociaciones de la prensa.

Publicada la Carta de Derechos y Deberes del Alumnado, se establecieron en ella una serie de derechos y unas claras exigencias señalando las normas de convivencia dentro de los centros educativos.

4.2. Plan Regional de Convivencia

El Plan regional de Convivencia escolar de Extremadura se basa en seis objetivos que pretenden "contribuir a la educación integral de los ciudadanos competentes para participar y desarrollarse en una sociedad plural".

Entre las actuaciones que pretenden contribuir a mejorar la convivencia, se encuentra la constitución de una red de centros que promuevan la cultura de la paz y la no violencia, la acción tutorial, las ayudas a proyectos educativos que formen en valores, la puesta en marcha de una campaña para fomentar el asociacionismo juvenil, las celebraciones pedagógicas en los centros, la formación del profesorado en planes de convivencia y las campañas en medios de comunicación para reforzar la figura del docente e implicar a la familia en la educación de los hijos, además de asistencia jurídica al profesorado, como sucedió en un acto violento contra un docente para que fuese considerado delito de atentado, tipificado en el código penal.

Se ha elaborado también un protocolo de intervención rápida para situaciones de urgencia y el protocolo de conductas disruptivas. En el momento actual se continúa avanzando, disponiendo de recursos humanos, como educadores sociales y departamentos completos de orientación, y aumentando también los recursos funcionales, así como potenciando las medidas que al respecto se deciden en el Plan regional de formación.

Extremadura fue la primera comunidad autónoma que puso en marcha la Red Extremeña de Escuelas de Inteligencia Emocional, que es una red de apoyo social e innovación educativa que pretende desarrollar tres de los principios claves de la Ley Orgánica de Educación: el esfuerzo compartido entre alumnado, familias, profesorado, centros educativos, Administración educativa, instituciones y el conjunto de la sociedad; el esfuerzo individual y la motivación del alumnado, y el fomento de la promoción de la investigación, de la experimentación y de la innovación educativa. Esta Red pretende el fomento de la tolerancia y el diálogo para solucionar conflictos mejorando el éxito educativo.

4.3. Acuerdo educativo

Fruto de esa actitud de diálogo, es el acuerdo firmado en marzo de 2006 entre la Consejería de Educación y las organizaciones sindicales integrantes de la Mesa sectorial de Educación para la mejora de la calidad en la educación del siglo XXI, que se agrupa en torno al reconocimiento social y profesional del profesorado; favorecer la atención individualizada del alumnado mediante desdobles o refuerzos a grupos reducidos; autonomía en la organización y la gestión de centros educativos y mejora de la calidad y equidad en la educación, potenciando la enseñanza de los idiomas y las TIC.

5. MEDIDAS EDUCATIVAS

En primer lugar, se presta especial importancia al incremento de la motivación, despertando especial interés del alumnado, en el que las TIC juegan un papel fundamental, junto a conceptos como iniciativas, creatividad, imaginación y espíritu emprendedor.

Un total de 4.147 alumnos procedentes de 120 institutos de Educación Secundaria se inician en una cultura emprendedora, a través de la materia optativa "Desarrollo de la iniciativa emprendedora".

5.1. Plan específico de refuerzo (PEREX)

Una de las medidas educativas más importante implantada en Extremadura en los últimos años por su repercusión en la mejora de los resultados académicos del alumnado de la ESO es el Plan específico de refuerzo para la consecución de los niveles imprescindibles de promoción y titulación (PEREX), destinado al alumnado en situación de fundado riesgo de tener que realizar las pruebas extraordinarias de junio. Básicamente consiste en que al concluir la segunda evaluación y a lo largo del tercer trimestre se arbitran medios especiales de recuperación en las materias de lengua castellana, matemáticas, inglés, física y química y biología-geología, por las tardes, con la correspondiente retribución extraordinaria para el profesorado que participa, el cual lo hace voluntariamente, facilitándose también el servicio gratuito de transporte escolar y comedor para el alumnado. Actualmente participan el 91% de los centros de Educación Secundaria, atendiendo a 11.500 alumnos. La incidencia del PEREX en la tasa de promoción del alumnado ha sido espectacular pasando, el primer año, del 74% al 78%.

5.2. Planes generales de refuerzo

La Consejería de Educación de Extremadura desarrolla programas de mejora del éxito escolar en Educación Primaria y Secundaria (PROA) a través de un convenio de colaboración con el Ministerio de Educación.

Durante el presente curso escolar, este plan se ha desarrollado en el 50% de los centros de Educación Primaria (208 centros) y en el 60% de los centros de Educación Secundaria (82 centros).

En el PROA se ha realizado una inversión económica de 3,5 millones de euros, participando 73 centros en el Programa de acompañamiento de Educación Primaria, 37 centros en el de Educación Secundaria, y 25 centros en el Programa de apoyo y refuerzo educativo de Secundaria.

El Programa de refuerzo educativo en áreas instrumentales se desarrolla en 107 centros educativos, y en 48 centros durante el horario escolar, con un esfuerzo inversor de 2,8 millones de euros.

Actualmente los centros públicos extremeños, que escolarizan al 80% del alumnado frente al 20% escolarizado en centros privados concertados, resultan atractivos ya que disponen de secciones bilingües, comedores escolares en 169 centros de Educación Infantil y Primaria (45%), aulas matinales y transporte escolar gratuito en las enseñanzas postobligatorias. Todo ello contribuye, sin duda, a reducir el abandono escolar temprano.

El apoyo y reconocimiento de la labor docente es otro de los pilares fundamentales para ofrecer una educación de calidad, ya que sin la implicación y motivación del profesorado no se alcanzan estos objetivos. Por ello se desarrollan actuaciones como los programas de innovación educativa o los premios a las buenas prácticas educativas.

6. RESULTADOS EDUCATIVOS

La conclusión de las políticas educativas desarrolladas en Extremadura desde que se asumieron las competencias educativas en el año 2000 podría hacerse indicando que una vez superados los déficit de infraestructuras que caracterizaban históricamente al sistema educativo extremeño y a los que hubo que prestar atención preferente durante varios años, las medidas de índole específicamente educativa que se han ido implantando en los años siguientes, contando con la participación de toda la comunidad educativa y el esfuerzo y la implicación especialmente del profesorado extremeño, se reflejan en la mejora importante de los distintos indicadores de resultados escolares.

Así, se puede afirmar que entre 2000-2001 y 2007-2008 Extremadura ha sido la Comunidad Autónoma en la que más creció la tasa de graduados en ESO, con un incremento de 6,2 puntos y que en 2007-2008, por primera vez, la tasa de graduados en Extremadura supera a la media nacional.

En lo que se refiere a graduación en Bachillerato, Extremadura es la Comunidad Autónoma en la que más ha aumentado la tasa correspondiente en el período 2000-2001 a 2007-2008, con un incremento de 6,9 puntos, situándose en 2007-2008 a 0,8 décimas de la media nacional, mientras que si nos referimos sólo a mujeres graduadas, la tasa extremeña supera a la media nacional.

En cuanto a promoción en 4º de ESO, en 2007-2008, por primera vez, Extremadura supera la media nacional, situándose 1,3 puntos por encima; a la vez que entre 2000-2001 y 2007-2008, la promoción en Extremadura ha aumentado en 9,6 puntos, siendo la tercera Comunidad Autónoma con mejor evolución en dicho periodo

Finalmente, en lo que se refiere al indicador del abandono escolar temprano, Extremadura lleva una evidente tendencia hacia el descenso, siendo la Comunidad Autónoma con mayor reducción desde 2000, y disminuyendo su diferencia con respecto a la media nacional desde 12,6 puntos en 2000 a tan sólo 1,7 en 2008.

7. LEY DE EDUCACIÓN DE EXTREMADURA

Con todos estos antecedentes, nos corresponde la responsabilidad de responder a la demanda social de una Ley de Educación de Extremadura que pueda ser sentida como propia por todos y por todas. Sería poco realista pretender un acuerdo absoluto en una materia tan compleja y variada como la educación. No obstante, entendemos que sí es posible y necesario un acuerdo de mínimos entre las principales fuerzas políticas extremeñas en un tema tan trascendente para nuestro futuro como la educación. Fijar el sistema educativo que preparará a los hombres y mujeres de nuestra región a lo largo del tiempo debe quedar fuera de la contienda política diaria.

Para dar respuesta a este compromiso, partiendo del acuerdo de principios al que en sede parlamentaria llegaron en junio de 2008 los grupos políticos presentes en la Asamblea, la Consejería de Educación elaboró un "Documento de propuestas para la Ley de Educación de Extremadura", en el que además de los principios indicados, se pretende contar con la opinión de los colectivos implicados profesionalmente en la educación, así como de la sociedad extremeña en general

Dicho "Documento de propuestas" es un documento de trabajo, que parte de nuestra realidad educativa y abre vías de avance, posibilistas, y que permitan el consenso entre las distintas visiones del hecho educativo con el fin de propiciar el oportuno debate en la comunidad y que surjan las propuestas oportunas para definir entre todos las bases de la primera Ley de Educación de nuestra región.

El Documento fue presentado por la consejera de Educación en el mes de diciembre de 2008 al Consejo Escolar de Extremadura. A partir de ese momento fue objeto de un amplio debate y período de aportaciones, que culminaron con una Jornada celebrada el 3 de diciembre de 2009 con la presencia de representantes de la comunidad educativa y de la sociedad extremeña en general, así como expertos de reconocido prestigio a nivel nacional y que también generó nuevas propuestas o modificaciones de las ya recibidas.

Con todo ese bagaje, durante 2010 se ha redactado el anteproyecto de LEEX, que tras ser sometido a la consideración del Consejo Escolar de Extremadura, Consejo Regional de Formación Profesional, Consejo Económico y Social de Extremadura y del Consejo Consultivo, se halla en condiciones de que pueda iniciarse la tramitación parlamentaria, que debería concluir con la aprobación de la primera Ley de Educación de Extremadura.

Capítulo XI
INFLUENCIA DEL GÉNERO EN EL RENDIMIENTO ESCOLAR. ¿REALIDAD O LEYENDA INTERESADA?[23]

Carmen Rodríguez Martínez
Universidad de Cádiz

23. .Este texto es parte de una publicación que aparece en Morata

Podemos afirmar que el fracaso escolar y los rendimientos escolares están relacionados con el género como muestran informes internacionales (Pisa, 2006 Warkins, 2008), y que una de las posibles causas del menor rendimiento en los chicos tenga que ver con un rechazo a la cultura escolar en determinados modelos clásicos de masculinidades.

Los rendimientos escolares han tomado un nuevo protagonismo dentro de las nuevas sociedades de la información, por la importancia dada al conocimiento para el desarrollo económico, que han destacado las diferencias de rendimiento entre chicos y chicas con una importancia sin precedentes, cuando hay mayores diferencias entre clases sociales que entre sexos.

Se están produciendo reacciones conservadoras, además, que llevan a reivindicar nuevos modelos de escuelas segregadas respaldadas por grupos que defienden nuevamente un determinismo natural entre sexos.

Una vez que ingresan en la escuela, las niñas obtienen mejores resultados que sus compañeros y tienen menores probabilidades de repetir curso; sin embargo, los niños obtienen mayor progreso en oportunidades laborales y sociales. Este es un fenómeno que se da por igual en todos los países y, de manera especial, en los que las chicas llevan mayor tiempo escolarizadas.

1. NUEVO PROTAGONISMO DE LOS RENDIMIENTOS ESCOLARES

En la nueva sociedad de la información, la situación que ha adquirido el conocimiento como un bien necesario para el desarrollo económico, junto a los argumentos neoliberales de la economía capitalista, centran el interés en el control de la educación bajo estándares comparativos entre países que buscan la excelencia. Dentro de este marco los rendimientos escolares, comparados a través de informes internacionales, se convierten en una primera preocupación. En cualquier país del mundo las niñas obtienen un rendimiento significativamente mayor en lengua y ellos algo superior en matemáticas (PISA, 2006; Warkins, 2008).

Mientras en los años setenta a noventa, en los países desarrollados preocupaban los códigos de género[24] que transmitían las escuelas en su currículo explícito y oculto y que contribuían a reproducir las relaciones de dominación de los varones sobre las mujeres (Apple, 1986, 1998; Torres Santomé, 1991, Subirats y Brullets, 1988, Bonal y Tomé, 1996, Ballarín, 1992, Arnot, 2009), en la década de los noventa se empieza a hablar en los países desarrollados del desequilibrio de los sexos en el éxito escolar y de las diferencias en el nivel de estudios alcanzado, que en este caso perjudica a los niños. No se trata de un problema nuevo; las diferencias de género en rendimientos se mencionan en textos pedagógicos de 1913[25], o de 1958 (Anastasi en Jayme y Sau, 1996:181), que ya destacaban mayores rendimientos en las alumnas ligados a las aptitudes verbales, la velocidad de percepción y la memoria, mientras que los niños rendirían más en lo relativo a números y aptitudes espaciales.

A la percepción del desequilibrio entre los sexos en rendimientos escolares contribuye la rápida evolución de estas diferencias en los países desarrollados, donde chicos y chicas progresan positivamente en éxito escolar pero a diferente ritmo, ampliándose la brecha digital en el transcurso del tiempo. Machin y McNally (2005) nos muestran cómo varía la diferencia del rendimiento global, de 2 puntos, en el año 1969, a 9,7 puntos en 2003. En España las diferencias en abandono escolar al terminar la educación obligatoria (16 años) son de 11 puntos (un 31,0% de media, siendo 36,1% para los chicos y 25,6% para las chicas), y algunos lo hacen sin título[26] (MEC, 2009).

Por ello se convierte en un tema recurrente del debate educativo en todo el mundo[27] el hecho de que el género sea uno de los factores que influyen de manera deter-

---

24. Por códigos de género entendemos los modelos de masculinidad y feminidad que están presentes en las prácticas cotidianas del aula. Pueden mostrarse a través de conductas explícitas en las cuales se manifiestan actuaciones diferentes para alumnas y alumnos, aunque donde mejor actúan es a través de acciones indirectas y del denominado currículo oculto.

25. http://209.85.227.132/translate_c?hl=wa&sl=en&u=http://nationalstrategies.standars....(27/04/2009).

26. En Andalucía el dato es superior: 38,0%, y la diferencia entre chicos y chicas es de 12 puntos (44,0% chicos, frente a 31,8% chicas) (Op. Cit.)

27. En Inglaterra, Holden, 2000 y Machin y Mcnally, 2005; Nueva Zelanda, Coote, 1998; Australia, Martino, 1997, 1999; Alloway y Gilbert, 1998; y Collins, 2000. Véase la revisión de Alton-Lee&Praat, 2000.

minante en el rendimiento educativo, desestimándose en ocasiones la importancia del origen étnico, la clase social y el contexto local, aunque existan muchas más diferencias entre un mismo sexo que entre chicos y chicas (Arnot, 2009). Las conclusiones de las investigaciones son que hay pocas diferencias en los estudiantes que tienen un buen rendimiento, pero el promedio de las niñas está superando a los chicos. El informe realizado por la Fundación Joseph Rowntree, en junio de 2007, para chicos británicos encontró que los blancos de clase trabajadora son los que tienen más problemas. Este grupo representa casi la mitad de los que abandonan la escuela sin calificaciones o con calificaciones bajas.

Nos encontramos actualmente con una paradoja ya señalada por Arnot (2009), la preocupación, por un lado, por las necesidades educativas de los varones, junto a estrategias afirmativas, por otro, para evitar la discriminación sexual alentando a las mujeres a participar en la economía del conocimiento por medio de la expansión de la ciencia, la tecnología y las tecnologías de la información y de la comunicación.

Las diferencias en lenguaje les dan una clara ventaja a las alumnas porque la escuela trabaja con una cultura mayoritariamente escrita y la lectura comprensiva es la herramienta de acceso a cualquier tipo de conocimiento. Encontramos un número superior de chicas lectoras y con una mayor comprensión de la lectura[28]. Sin embargo, lo que aprenden las chicas en la escuela condiciona sus expectativas y elecciones futuras. Obtener unos mejores resultados para una chica no significa una mejor situación laboral en un futuro. Con el agravante de que estas diferencias de género se están utilizando para entender que la escuela discrimina a los alumnos y se empieza a reclamar una enseñanza diferenciada para chicas y chicos.

2. DIFERENCIAS EN RENDIMIENTOS Y ESCUELAS SEGREGADAS

En países como EEUU se ha generado un movimiento a favor de la enseñanza diferenciada, donde han pasado de 11 colegios públicos de enseñanza en el año 2001 a 540 actualmente[29]. En España resurge el debate como consecuencia de la aplicación de la nueva ley de educación, LOE, que niega las subvenciones a centros que

---

28. Véase las investigaciones realizadas por la Universidad de Suffolk, 2006, Wisconsin-Madison y el College de Londres, 2006. http://209.85.227.132/translate_c?hl=wa&sl=en&u=http:www.literacy-trust.org.uk/dat... (27/04/2009)

29. El nuevo ministro de Educación en EEUU, con el Gobierno de Obama, ha defendido anteriormente estos modelos educativos en el Estado de Chicago.

segregan en la escolarización a chicos y chicas, mayoritariamente centros religiosos del Opus Dei, que los separa por razones religiosas[30].

Son reacciones conservadoras ante los avances y logros conseguidos en la igualdad entre los sexos y que significan cambios en las formas de pensar y en la propia configuración de las vidas personales y de la sociedad, difíciles de asimilar. Hay una revitalización del determinismo biológico y del determinismo cultural por el que se añora la tradición y lo que siempre se ha hecho frente a ideas democráticas y de justicia social. Aunque tuvieron poco reconocimiento público los enfoque feministas en educación, se les ha visto como parte del problema y de la causa del desempeño deficiente masculino (Arnot y Miles, 2005 en Arnot, 2009).

No son nuevas en educación las teorías que plantean currículos diferenciados por razones raciales, sociales, sexuales y de otra índole, amparadas en la ciencia[31]. Hoy vuelven a utilizarse las diferencias cerebrales entre hombres y mujeres, que están de moda por las nuevas técnicas hormonales y genéticas. Son investigaciones de escasa credibilidad, que unen de forma automática las diferencias en comportamientos a diferencias naturales (Calvo, 2007, Brizendine, 2008) y se apoyan en las creencias populares y religiosas sobre las diferencias entre hombres y mujeres. En una encuesta a 2.100 alumnos y alumnas en 41 centros universitarios en EEUU, el 45% dijo creer que algunas razas están más evolucionadas que otras (Newsweek, 30 de mayo de 1988, p. 59).

Como muestra la investigación realizada por el Colectivo IOE (2006), una parte del profesorado en España piensa que hay una pérdida de valores y reivindica un sexismo tradicional. También apoyan trayectorias escolares y profesionales separadas en función del sexo. Son los que desearían una escuela segregada, o que al menos alumnos y alumnas recibieran una educación diferente.

En los últimos años hay un resurgimiento del determinismo biológico basado en las diferencias sexuales, que se justifica en los diferentes comportamientos entre chicas y chicos y entre homosexuales y heterosexuales[32]. Al considerar los comportamientos como la causa y no como la consecuencia de sus contextos y experiencias, el

---

30. En España en 2009 hay 60 centros concertados que separan a niños y a niñas, de los que hay 15 en Cataluña, 11 en Andalucía y 8 en la comunidad de Madrid (uno concertado recientemente).

31. Para medir la capacidad cognitiva, el determinismo biológico ha utilizado como principal instrumento cuantitativo los tests de inteligencia con un importante sesgo cultural y pasando por alto que la inteligencia es un fenómeno contextual y variable (McCarthy, 94:37).

32. No hay más que buscar en Internet dimorfismo sexual.

determinismo biológico se convierte, por su propia esencia, en una teoría de límites (Gould, 81: p.28).

Las experiencias sobre escuelas segregadas para favorecer el aprendizaje de chicas y de chicos son difíciles de evaluar, porque se han realizado por un corto periodo de tiempo, un año, o una cohorte de estudiantes. Además han utilizado a un personal formado y comprometido para mejorar a las chicas en ciencias y autoestima, y a los chicos en el logro de los resultados.

Para Warrington y Younger (2004) las razones por las que se adoptan estos programas son:

1. Una estrategia para que las niñas participen más en clase y estimular su capacidad científica.

2. Alentar que los niños trabajen en colaboración y desarrollen habilidades sociales.

3. Abordar el bajo rendimiento en idioma y lengua en los niños.

4. Limitar el mal comportamiento en los niños.

Han sido experiencias realizadas sobre todo en la década de los noventa con la intención de conseguir un mayor rendimiento en los alumnos y las alumnas. Ahora se plantean bajo una inspiración más tradicional porque proponen la segregación como el modelo idóneo para sexos que tienen distintas características, preferencias y, por tanto, destinos distintos justificados en estas diferencias.

Sax (2005, 2007), presidente de la Asociación americana de educación diferenciada por sexo para la escuela pública, basa su apoyo a estos modelos educativos segregados en las experiencias de los colegios privados de elite, con la consecuente selección del alumnado y con un alto coste en su enseñanza. Reconoce que el profesorado sin una formación específica no cambia los resultados de los alumnos.

El problema de fondo es que durante todos estos años se han ignorado las diferencias de género, salvo experiencias concretas, con lo que se han transmitido a través del currículo oculto los estereotipos sexuados existentes. La normalización y homogeneización es el modelo que prevalece en las escuelas, sin admitir la diversidad y las diferencias en el aprendizaje entre cada niño y cada niña, que lleva a "convertir cada vez más lo diverso en sinónimo de problemático e indeseado" (Colectivo IOÉ, 2006).

Desde la perspectiva de una buena parte del profesorado se reclama separar a los alumnos por niveles, por etnias, por sexos y por afinidades para posteriormente someterlos al mismo modelo de enseñanza, sin tener en cuenta sus deseos, motivaciones o ritmos de aprendizaje.

En las últimas revisiones de OFSTEDs (2003), concluyen que no se puede atribuir a la segregación la mejora del éxito escolar en los niños. Los chicos que han mejorado sus resultados ha sido porque las escuelas mostraban las siguientes características:

1) Respeto a la diversidad de estilos y enfoques de aprendizaje de cada uno de los alumnos y alumnas.

2) Profesores con conocimientos sobre el lenguaje y entusiastas de sistemas activos de enseñanza y de actividades extraescolares.

3) Buena gestión de la clase, donde la disciplina es justa y se utiliza con frecuencia la alabanza.

4) Seguimiento y apoyo a los chicos y chicas en su rendimiento, con evaluación de todo su trabajo y con asesoramiento claro sobre la forma de mejorar.

5) Estrategias centradas en la alfabetización, con apoyo intensivo a la lectura y escritura, con materiales de interés para los estudiantes. Se les alienta a escribir con frecuencia, con equilibrio entre el apoyo y la independencia.

El problema está en el modelo clásico de enseñanza que crea desinterés en chicos y chicas, unido a los modelos de masculinidades que acentúan el fracaso escolar en los chicos de bajo estatus por su rechazo a la cultura escolar.

Arnot (2009) nos cuenta cómo en Inglaterra se reforzaron las culturas masculinas en las aulas y en las escuelas, recurriendo los docentes a su conocimiento sobre las diferencias entre chicas y chicos, en una época en la que las investigaciones sociológicas estaban relacionando las estrategias de resistencia a la cultura escolar con los modelos de masculinidades hegemónicos. Se guiaron por discursos esencialistas sobre lo que consideraron masculino en estilos de aprendizaje, evaluación, alfabetismos y desarrollo emocional y psicológico, confundiéndose con procesos de inmadurez o de dificultades de aprendizaje y de motivaciones.

Sukhnandan and Kelleher (2000) sostienen que estos modelos de enseñanza pueden ser problemáticos porque estimulan diferentes estilos de aprendizaje, reforzando aquellos aspectos donde alumnos y alumnas son fuertes y haciendo caso omiso de sus áreas de debilidad. Aunque puedan conducir a un aumento de rendimiento, también pueden tener efectos perjudiciales.

En escuelas segregadas, sin programas específicos, los chicos, especialmente, pueden aumentar los malos resultados. Younger et al. (2005) muestran cómo en las clases de niños se hizo más difícil enseñar y el comportamiento empeoró. También se creó un régimen machista que alienó a algunos chicos.

Hay muchas evidencias investigadas sobre la menor evolución de los grupos de clases sociales inferiores cuando se agrupan por estatus y expectativas culturales. Se crean guetos muy distantes de la cultura y del medio escolar en los que resulta difícil progresar en la escuela. Por otra parte, los alumnos y alumnas con un entorno cultural rico pueden ganar en resultados académicos pero pierden en diversidad cultural y en la riqueza que aportan las diversas perspectivas. Aunque la enseñanza diferenciada pueda tener, bajo algunas premisas, ventajas, el impacto a largo tiempo no se conoce y la clave del éxito no puede ser la única ética de la escuela. La solución es plantear modelos educativos menos estereotipados y más adaptados a sus intereses, no volver a separar para enseñar de forma diferente.

3. EVOLUCIÓN DE LAS DIFERENCIAS ENTRE ALUMNOS Y ALUMNAS EN LA CULTURA ESCOLAR

El cambio en los modelos de feminidad ha sufrido importantes transformaciones con la incorporación y participación de las mujeres en todas las esferas de la vida política, social y cultural. Sin embargo, estos cambios no siempre han venido acompañados de nuevos modelos de relaciones entre los géneros. Las opciones para las chicas, sobre lo que se considera propio de su sexo, están cada vez menos estereotipadas, mientras que los modelos de masculinidad se han mantenido más estáticos, los chicos no se han incorporado de la misma forma a los ámbitos de la vida privada y al espacio doméstico y rehúyen todo lo que es considerado tradicionalmente como femenino.

Las diferencias entre alumnos y alumnas se manifiestan especialmente entre los que tienen bajos rendimientos escolares. Están motivadas por el tipo de cultura masculina, androcéntrica, que se sigue manteniendo fuera y dentro de la escuela, y que sigue marcando los estereotipos sexuales. Para los alumnos el arquetipo viril imperante en la sociedad juega un papel importante en su desinterés por la escuela y en su bajo rendimiento; para las alumnas supondrá un techo de cristal en etapas posteriores, con discriminaciones laborales y menores oportunidades sociales y políticas[33].

---

33. Página web del Departamento de Educación de Inglaterra. http://209.85.227.132/translate_

De hecho algunas investigaciones (Severiens y Ten Dam, 1997 en Arnot, 2009) han sugerido que las preferencias por los estilos docentes, así como las actitudes y compromisos con la enseñanza están marcados por identidades de género y pueden tener valor de profecía autocumplida.

Las prácticas pedagógicas de profesores y profesoras, las interpretaciones que realizan de las actuaciones de sus estudiantes y las expectativas hacia los mismos crean la cultura interna de la escuela y construyen en los estudiantes sus valores, actitudes y oportunidades.

Por un lado, existen creencias arraigadas en el profesorado más conservador sobre las diferencias naturales entre chicos y chicas, justificadas por la tradición o por su experiencia (Colectivo IOE, 2006; Arnot, 2009). Por otro, existe la percepción de una parte importante del profesorado de que la causa del fracaso escolar está sólo en la privación cultural que reciben los estudiantes por parte de las familias y que perjudica a su trabajo en la escuela (Holden, 2002). Son estudiantes cuyas experiencias tempranas en sus hogares, su motivación para el aprendizaje escolar y sus objetivos para el futuro perjudican el trabajo de los docentes. Reconocen el carácter social y externo de las causas del fracaso y no la participación de las escuelas en la creación de buenos y malos escolares.

Las culturas escolares son sistemas socialmente construidos de valores, creencias y normas que surgen como resultado de las interacciones entre individuos y que sustentan una serie de estereotipos. Las organizaciones poseen una cultura masculina (Loden, 1985 y Maier, 1997 en Barberá, 2005) basada en la competición, en la jerarquía, donde el objetivo es ganar, se potencia la resolución de problemas racional y se exige el autocontrol. Las imágenes del directivo son congruentes con la imagen masculina (Powel y Butterfield, 1989), por lo que las profesoras sentirán mayor estrés, se sentirán evaluadas con su trabajo y tendrán conflictos de identidad. Ello conducirá a estados depresivos, desmotivación e insatisfacción.

La cultura escolar está conformada entre otras características por:

1) El clima, la actitud y la disciplina.

No coincide la percepción de los profesores con la percepción de alumnos y alumnas con alto y bajo rendimiento sobre estos últimos. Profesores y profesoras piensan que los alumnos de sexo masculino tienen peor conducta y son perturbadores del ambiente de clase. Las alumnas, por el contrario, tienen mejor disposición y son más

---

c?hl=es&sl=en&u=http://nationalstrategies.standars.... (el 27/04/2009)

amables. En general, sobre los chicos se realizan menos descripciones positivas, aunque se considera que asumen mejor el riesgo y son más divergentes en su pensamiento. Piensan que los profesores y profesoras tienen una peor expectativa hacia ellos y a su mala conducta. Las alumnas saben que las prefieren porque sonríen y hablan suavemente. Mientras, el profesorado piensa que los comportamientos están determinados fuera de la escuela. Esto lleva a los alumnos a adoptar actitudes defensivas y de resentimiento porque piensan que no siempre son tan malos y que no reciben un trato justo. De esta idea participan sus compañeras (Holden, 2002).

2) Modelos y estilos de enseñanza y aprendizaje.

En la investigación de Holden (2002), bajo las percepciones de los docentes los chicos y chicas tienen diferentes comportamientos, diferentes estrategias y estilos de aprendizaje, en definitiva, diferentes enfoques de pensamiento. Algunos consideraron que los alumnos necesitan destacar y realizar tareas más divertidas. Responden al humor, a la competición y necesitan disciplina. Prefieren tareas cortas y con estructura práctica. Las alumnas, por el contrario, dedican más tiempo, se comprometen en tareas de composición abierta, actividades creativas y les gusta la danza y el teatro.

No tienen la misma percepción los estudiantes sobre los estilos de enseñanza, alumnos y alumnas prefieren hacer un trabajo activo, participar en discusiones, trabajar en grupo y utilizar la imaginación. La diferencia está en que las niñas aceptan con más facilidad otros modelos. Los niños se resisten más a las actividades de lengua si solo les permiten estar sentados y escuchar, no se oponen cuando se trata de escritura creativa.

3) Lenguaje, contenidos escolares y elección de materias.

Los significados socio-culturales transmitidos en el conocimiento, a través del lenguaje y de los contenidos escolares, son manifestaciones que invisibilizan a las mujeres en experiencias, participación y competencias. Generan pensamientos y comportamientos en la sociedad y en el alumnado porque se difunde una arqueología del saber que legitima el orden social de los discursos que sustentan las actuales sociedades.

Los contenidos escolares tienen una carga ideológica en todas las escuelas del mundo, no sólo en la discriminación de género, sino en la étnica, sexual, religiosa, social y la forma de tratar a los otros pueblos, imbuida de un sentido chauvinista y patriótico. En los países en que las religiones, sobre todo las monoteístas, intervienen en la educación, mantienen una ideología sexual que defiende la naturaleza y destinos distintos de hombres y mujeres.

4) Diferencias en rendimiento: la lectura y la escritura.

El hecho de que las chicas dominen el lenguaje desde una edad temprana hace que la lectura y la escritura se consideren actividades femeninas, sobre todo cuando están relacionadas con las formas de expresión, exploración de la experiencia personal, la poesía, etc.[34] Los chicos de bajo rendimiento no participan en las actividades de lengua si no responden a sus intereses. Cuando la enseñanza es activa hay un gran entusiasmo entre los alumnos, les gusta trabajar con compañeros y los trabajos creativos. Al mismo tiempo expresan frustración y dificultades con la escritura de la lengua.

5) Motivaciones, expectativas y compromiso con el trabajo.

Los intereses, motivaciones y satisfacciones crean una socialización diferencial. Durante años se desarrolló la hipótesis sobre el miedo al éxito de las mujeres (Horner, 1972), según la cual las mujeres temen perder su feminidad si optan por vivir de forma independiente y desarrollar su carrera. Esto reforzó la idea de que las mujeres son menos ambiciosas y están menos orientadas al trabajo profesional. Hoy hay suficiente evidencia empírica que contradice esta creencia (Barberá, Lafuente y Sarrio, 1998). Las mujeres son igual de ambiciosas y quieren conseguir un desarrollo profesional.

También se ha demostrado que existe una motivación por el poder que lleva al reconocimiento en grupos y a la visibilidad ante las demás para conseguir influencia. En el compromiso personal con el trabajo no hay grandes diferencias entre hombres y mujeres. En el tema laboral se afirma que las mujeres valoran los aspectos intrínsecos al trabajo (que sea interesante) y los aspectos sociales (las buenas relaciones), mientras los chicos los aspectos extrínsecos (la paga y la seguridad). No debemos olvidar que muchas formas de actuar han sido creadas por los distintos roles que han desempeñado mujeres y hombres y que es importante empezar a valorar algunos rasgos y características consideradas femeninas sin caer en determinismos.

Podemos concluir diciendo que no se pueden atribuir las diferencias en éxito escolar con exclusividad al género porque intervienen otros factores, como las clases sociales y la raza. Una de las causas del bajo rendimiento de los chicos está en los modelos de cultura masculina que crean resistencias a la cultura escolar. Sí podemos sostener los efectos nocivos del trato uniforme que da la escuela a todos sus alumnos y alumnas, y de actuar con conductas estereotipadas que sirven como una profecía de obligado cumplimiento. Necesitamos reconocer las diferencias y diversidad de nuestros estudiantes como una riqueza del sistema educativo, dándoles voz y deconstruyendo los status diferentes entre grupos sexuales, de género, raza y clase.

---

34. http://209.85.227.132/translate_c?hl=es&sl=en&u=http://nationalstrategies.standars.... (el 27/04/2009)

4. REFERENCIAS

Alloway N. & Gilbert, P. (eds.) (1998). *Boys and literacy*. Carlton, Victoria. Curriculum corporation.

Alton-Lee, A. & Praat, A. (2000). *Explaning and addressing gender differences in the New Zealand compulsory school sector: a literature review.* Wellington: Ministry of Education.

Apple, M. W. (1986). *Ideología y currículo*. Madrid: Akal.

Arnot, M. (2009). *Coeducando para una ciudadanía en igualdad*. Madrid: Morata.

Ballarín, P. (ed.) (1992). *Desde las mujeres. Modelos educativos: Coeducar/segregar.* Granada: Universidad de Granada, Seminario de Estudios de la Mujer.

Barberá, E.; Lafuente, M.J. y Sarrió, M. (1998). *La promoción profesional de las mujeres en la Universidad.* Valencia: Promolibro.

Barberá, E. (coord.) (2005). *Género y Diversidad en un entorno de cambio*. Valencia: Editorial de la Universidad Politécnica de Valencia.

Bonal X. y Tomé, A. (1996). "Metodologías y recursos de intervención". *Cuadernos de Pedagogía*, nº 245, pp. 56-69.

Brizendine, L. (2008). *El cerebro femenino*. Barcelona: RBA.

Calvo, M. (2007). *Niñas y niños, hombres y mujeres: Iguales pero diferentes*. Córdoba: Almuzara.

Colectivo Ioé (2006). *Inmigración, género y escuela. Exploración de los discursos del profesorado y del alumnado.* Madrid: CIDE.

Collins, C., Kenway, J. & McLeod J. (2000). *Factors influencing the educational performance of males and females in school and their initial destinations after leaving school.* Canberra. Commonwealth: Department of Education, Training and Youth Affairs.

Coote, H. (1998). Boys`reading: a question of attitude? *English in Aotearoa*. Vol.35, pp. 20-24.

Escofet, A. et al. (1998). *Diferencias sociales y desigualdades educativas*. Barcelona: ICE-Horsori.

Fraser, N. (2006). La justicia social en la era de la política de la identidad: Redistribución, reconocimiento y participación. En Fraser, N. y Honneth, A. *¿Redistribución o reconocimiento?* Madrid: Morata.

Gould, S. J. (1981). *La falsa medida del hombre*. Barcelona: Antoni Bosch.

Holden, C. (2002). "Contributing to the debate. The perspectives of children on gender, achievement and literacy". *Journal of Education Enquiry*, n.3(1), pp.97-110.

Horner, M. (1972). "Towards an understanding of achievement related conflicts in women". *Journal of Social Issues*, n. 28, pp.157-175.

Jaime, M. y Sau, V. (1996). *Psicología diferencial del sexo y el género*. Barcelona: Icaria.

Machin, S. y McNally, S. (2006). *Gender and Student Achievemente in English Schools*. London: Center for the Economics of Education.

Martino, W. (1999). "'Cool boys', 'party animals', 'squids' and 'poofters': interrogating the dynamics and politics of adolescent masculinities in school". *British Journal of the Sociology of Education*, n. 2 (20), pp. 239-264.

McCarthy, C. (1994). *Racismo y Curriculum*. Madrid: Morata.

MEC (2009) Las cifras en educación en España. Estadísticas e indicadores. Madrid: Ministerio de Educación y Ciencia.
http://www.educacion.es/mecd/jsp/plantilla.jsp?id=3131&area=estadisticas&contenido=/estadisticas/educativas/cee/2009/cee-2009.html.

OfSTED (1999). *The National Literacy Strategy: an evaluation of the first year of de NLS*. London: DfEE.

OfSTED (2003). *Boys Achievement in Secondary Schools*. London.

PISA (2006). *Competencias científicas para el mundo del mañana. Programa para la evaluación Internacional de alumnos*. OCDE. http://browse.oecdbookshop.org/oecd/pdfs/browseit/9807014E.PDF

Puleo, A. H. (1995). Patriarcado. En Amorós, C. (dir.) (1995). *10 Palabras clave sobre Mujer*. Estella (Navarra): Verbo Divino, pp. 21-54.

Rodríguez Martínez, C. (2003). Un acercamiento a los estudios de género. II Encuentro de mujeres sindicalistas de CCOO. Alzira (Valencia): Germania, pp.121-154.

Sax, L (2007). *Boys adrift*. New York: Basic Boks.

Sax, L. (2005). *Why Gender Matters*. Lanecove Sydney: Doubleday

Sen, A. (1990). "More than 100 Million Women are Missing". New York: *Review of Books*, n.20 (37), pp.61-66.

Subirats, M. y Brullet, C. (1988). *Rosa y Azul. La transmisión de los géneros en la escuela mixta.* Madrid: Ministerio de Asuntos Sociales, Instituto de la Mujer.

Sukhnandan, L. And Kelleher, S. (2000). *An Investigation into Gender Differences in Achievement. Phase 2: School an classroom strategies.* Slough: NFER.

Torres Santomé, J. (1991). *El curriculum oculto*. Madrid: Morata.

Warkins, K. (2008). *Informe de Seguimiento de la Educación para Todos. Superar la desigualdad: por qué es importante la gobernanza.* París: UNESCO

Warrington and Younger (2004). "We decide to give it a twirl: single-sex teaching English comprehensive schools". *Gender and Education*, n. 15 (4), pp. 339-350.

Younger el al. (2005). *Raising Boys'Achievement: Final Report*. London: DfES

Capítulo XII
¿QUÉ PUEDEN APORTAR LAS TIC Y LAS REDES DE INNOVACIÓN A LA MEJORA DE LA CALIDAD DEL SISTEMA EDUCATIVO?

Mariano Segura

1. LA ESCUELA EN LA SOCIEDAD DEL CONOCIMIENTO

La implantación de la Sociedad de la Información y el Conocimiento (SIC) en todos los estamentos de la sociedad es un hecho incuestionable. Las TIC no son ya un mero instrumento sino el medio natural en el que se produce la comunicación, la adquisición de conocimientos y la construcción de la identidad personal.

El éxito en este modelo de sociedad requiere desarrollar la capacidad de llevar a cabo aprendizajes de diversa naturaleza a lo largo de nuestras vidas y de adaptarse rápida y eficazmente a situaciones sociales, laborales y económicas cambiantes.

Aunque en la institución escolar la implantación de la Sociedad de la Información (SI) avanza lentamente –especialmente en los países con menos recursos–, en los comienzos de este siglo se perfila un nuevo panorama educativo que, de manera esquemática, se caracteriza por:

– La necesidad de una actualización permanente de los conocimientos, habilidades y criterios (aprendizaje a lo largo de la vida).

– La mayor relevancia del dominio de los procesos y estrategias cognitivas y metacognitivas frente al de los contenidos (aprender a aprender).

– El cambio del concepto de alfabetización, que se amplía a nuevos campos, como el de la comunicación mediada, el multimedia en red o las nuevas pantallas. La alfabetización se reconoce ahora como un concepto complejo y cambiante en el tiempo, como un proceso de aprendizaje que dura toda la vida y cuyos dominios y aplicaciones están en constante revisión.

La utilización de las Tecnologías de la Información y la Comunicación conlleva que la educación no tenga que estar condicionada por el tiempo y por el espacio, y facilita los métodos de aprendizaje individual y el aprendizaje colaborativo. Del aprendizaje individual se está evolucionando rápidamente hacia el aprendizaje en grupo y luego hacia el aprendizaje en comunidad, donde el conocimiento se construye socialmente.

Ante este nuevo panorama educativo los roles del profesor y del alumno se han de modificar. El profesor debe dejar de ser un orador o instructor que domina los conocimientos, para convertirse en un asesor, orientador, facilitador y mediador del proceso de enseñanza-aprendizaje. El perfil profesional del docente incluye hoy competencias para conocer las capacidades de sus alumnos, diseñar intervenciones centradas en la actividad y participación de éstos, evaluar recursos y materiales y, a ser posible, crear sus propios medios didácticos o, al menos, adaptar los existentes desde la perspectiva de la diversidad real de su alumnado.

Por su parte, para enfrentarse a esta sociedad, el alumno ya no tiene que ser fundamentalmente un acumulador o reproductor de conocimientos, sino que, sobre todo, debe llegar a ser un usuario inteligente y crítico de la información, para lo que precisa aprender a buscar, obtener, procesar y comunicar información y convertirla en conocimiento; ser consciente de sus capacidades intelectuales, emocionales o físicas y disponer también del sentimiento de su competencia personal. Es decir, debe valerse de sus habilidades para iniciarse en el aprendizaje y continuar aprendiendo de manera cada vez más eficaz y autónoma, de acuerdo con sus necesidades y objetivos.

2. LAS TIC Y LA ESCUELA

Ha transcurrido algo más de 30 años desde que los primeros ordenadores personales aparecieron en el mercado y 14 desde que el primer navegador web se puso al alcance del gran público; pero ¿cómo se valora la utilización de las TIC en la escuela? ¿Y qué incidencia tienen estos avances en la institución escolar?

Cuando se pregunta al profesorado sobre "si las TIC tienen grandes posibilidades educativas" el 84% se manifiesta a favor, sin embargo solo el 42,6% considera que "el rendimiento del alumno mejora con el uso de las TIC".

De manera análoga los alumnos responden que "usar el ordenador es útil" (86,8%) mientras que solo el 20,8% considera que su "rendimiento escolar ha mejorado gracias al uso de los ordenadores"[35].

Como se puede observar existe una valoración social positiva de las TIC, pero se cree poco en ellas como recurso didáctico.

Aceptando que las TIC no han sido concebidas para la educación, aunque poco a poco se van incorporando a ella –lo que hace que no sean muy demandadas por el profesorado como señalábamos anteriormente–, las respuestas a las cuestiones anteriores están vinculadas a la capacidad de acceso y al uso que se hace de las mismas en la escuela.

La OCDE, en el informe PISA 2003, ya expresa su preocupación por la falta de acceso, incluso en los países con tasas generales elevadas de utilización y por la insuficiente disponibilidad por parte de los grupos socioeconómicamente menos favorecidos.

Los escolares con menor experiencia en el uso de los ordenadores obtuvieron resultados inferiores a la media. La minoría de los estudiantes que todavía tiene el acceso limitado a los ordenadores –y, en particular, los alumnos sin acceso a ordenador en casa o que lo usan menos frecuentemente– resultó con un nivel inferior a la media. En la mayoría de los países este efecto persiste incluso después de tener en cuenta la influencia del nivel socioeconómico de los estudiantes, aunque con una diferencia menor en los resultados.

Sin embargo, no en todos los países los estudiantes que usan los ordenadores más frecuentemente en clase tienen mejores resultados; más bien, los mejores resultados PISA los obtienen los alumnos con un uso medio del ordenador. Por otra parte, parece observarse que la falta de ordenador disponible en casa no se ve suficientemente compensada por la disponibilidad de ordenadores en la escuela.

La incorporación de las TIC en la escuela ha venido marcada tradicionalmente más por la tecnología que por la pedagogía y la didáctica, aunque varios son los factores que entran en juego para un buen aprendizaje digital. En primer lugar se necesita disponer de la tecnología apropiada, que hoy en día no puede estar desligada de la necesidad de conectividad. Pero no basta con tener un buen *hardware* en el aula para trabajar satisfactoriamente, sino que cada vez se hace más necesario disponer

---

35. Las Tecnologías de la información y de la Comunicación en la Educación. Informe sobre la implantación y el uso de las TIC en los centros docentes de Educación Primaria y secundaria (Curso 2005-2006). MEC. Madrid, 2007

de contenidos digitales (*software*) de cada materia, que el profesor pueda utilizar y manejar de acuerdo con sus necesidades. Y, por supuesto, para dar cohesión a todo lo anterior, la figura del profesor se convierte en el factor determinante como dinamizador, orientador y asesor de todo el proceso de enseñanza-aprendizaje, por lo que la formación y capacitación del mismo se convierte en una prioridad de todo sistema educativo.

Desde la llegada de Internet, las posibilidades de acceso a la información y a la formación se han ido incrementando en la medida en que cada vez son más personas las que acceden a la red y ésta ofrece ambientes de aprendizaje más complejos y elaborados.

Internet es una potente herramienta pedagógica como:

– Fuente de información y conocimiento al permitir acceder a documentación bibliográfica, prensa, recursos gráficos y sonoros, simuladores e incluso poder realizar visitas virtuales a distintos lugares.

– Medio de comunicación y expresión mediante el correo electrónico, foros y chats, blogs, videoconferencias, creación de páginas web…

– Herramienta didáctica de aprendizaje al ser una importante fuente de recursos educativos, que permite al profesor la utilización de estos materiales y la creación de los mismos con programas apropiados para la aplicación en el aula de forma colectiva o individualizada (tratamiento de la diversidad), así como la creación de páginas web entre profesores y alumnos para compartir materiales y exponer experiencias, las tutorías telemáticas…

– Dispositivo que facilita el trabajo en equipo y cooperativo superando las barreras físicas y temporales y permite abrir el aula y la escuela al exterior, así como la creación de redes para el desarrollo de proyectos conjuntos.

– Instrumento de gestión y administración del centro educativo para los horarios, los expedientes de alumnos y profesores, las tutorías, la gestión de la biblioteca, la gestión económica, las comunicaciones a las familias…

Muchos son los sitios que podemos encontrarnos en Internet con contenido educativo que ofrezcan información, materiales o recursos relacionados con el campo o ámbito de la educación.

Por otra parte, las tecnologías de la información y la comunicación permiten la construcción de redes de comunicación e interacción con personas de otros lugares y tienen un potencial reconocido para apoyar el aprendizaje, la construcción social del conocimiento y el desarrollo de habilidades y competencias para aprender autónomamente.

Estas redes informáticas ofrecen una perspectiva de trabajo muy diferente al tradicional, abren las aulas al mundo y permiten la comunicación entre las personas eliminando las barreras del espacio y el tiempo, de identidad y estatus.

3. TIPOLOGÍAS DE USO DE LAS TIC EN LA ESCUELA

Según sea el uso de las TIC en la institución escolar las necesidades de *hardware* y de *software* son diferentes. Si concebimos el triángulo alumno-profesor-tecnología podemos establecer las siguientes tipologías de uso teniendo en cuenta quién las utiliza, cuándo y dónde se utilizan y qué tipo de uso tienen.

▸ Es el alumno quien las utiliza para realizar consultas en Internet, buscar, seleccionar y elaborar contenidos, realizar tareas y actividades de aprendizaje o acceder a repositorios de tareas, actividades u objetos de aprendizaje…

Las necesidades de *hardware* en este caso son ordenador y conexión a Internet en la casa del alumno y/o en el centro educativo. Se precisan programas para la navegación y la edición de las tareas y actividades.

En el estudio anteriormente citado, se señala que una porción muy elevada del alumnado español tiene acceso a ordenadores e Internet, tanto en el centro educativo como en el hogar (85,1% del alumnado dispone de ordenador en su casa, y el 52,6% de Internet). Estas cifras son superiores a la media nacional de hogares que tienen ordenador (64% en 2008)[36], lo que nos indica que la presencia de niños o adolescentes en las familias implica la existencia de ordenadores. Este hecho se relaciona con el valor social de las TIC y con la necesidad de su uso comentado anteriormente.

Es muy difícil predecir el futuro con las tecnologías y poder decir qué va a ocurrir de aquí a cinco años, pero el parque de ordenadores en este momento está cambiando hacia los ordenadores portátiles o las tabletas tipo iPad. Si se produce en cinco años una modificación en el tipo de ordenadores en las familias, ¿será posible que dentro de cinco años los alumnos puedan llevar el ordenador a la escuela? Es una pregunta que

---

36. "Indicadores y datos de las tecnologías de la información y comunicación en la educación en Europa y España". Instituto de Tecnologías Educativas. Departamento de proyectos europeos Febrero de 2010. http://www.ite.educacion.es/

queda abierta para la reflexión, porque de consolidarse la tendencia todos los alumnos podrían tener ya un ordenador que aportarían al aula. Las Administraciones en este caso deben pensar en dotar de becas a aquellos alumnos que no puedan acceder al ordenador e invertir fundamentalmente en aumentar la conectividad en los centros, porque este último aspecto no lo pueden aportar los alumnos.

El nivel de utilización de las TIC por el alumnado es elevado (72,6% lo utiliza casi todos los días), pero se utilizan mucho más fuera del centro educativo, para el ocio, la información, la comunicación y en menor medida para las tareas escolares.

La utilización con fines escolares es principalmente a través de los procesadores de textos y los navegadores de Internet y se usan pocos programas de ordenador para aprender. Son los alumnos de FP los que más utilizan las TIC en el centro, dado que en muchos casos el propio currículum consiste en el manejo y utilización de determinados programas.

Desde pronto los chicos y las chicas se sienten cómodos en actividades diversas que tienen que ver con la comunicación y la utilización de información. Al finalizar la Educación Primaria, más del 70% de los estudiantes dice saber buscar información en Internet, seleccionarla, recuperarla e imprimirla, e incluso preparar una presentación con imágenes, textos o sonidos. Al finalizar la Educación Secundaria Obligatoria, alrededor del 90% del alumnado se siente competente en los mismos usos y por encima del 80% se siente capaz de utilizar las aplicaciones para la comunicación y la colaboración.

▸ Es el profesor quien las utiliza para realizar consultas en Internet, buscar, seleccionar y elaborar contenidos, planificar y preparar tareas y actividades de aprendizaje, acceder a repositorios de tareas, actividades u objetos de aprendizaje, elaborar y mantener registros de las actividades, la participación y los resultados....

Las necesidades de *hardware*, como en el caso anterior, son ordenador y conexión a Internet en la casa del profesor y/o en el centro educativo. Precisa programas para la navegación y la edición de las tareas y actividades y para la toma de datos de los alumnos.

Una proporción muy elevada del profesorado tiene acceso a ordenadores e Internet, tanto en el centro educativo (94,6%) como en el hogar (91,7%), y hace un uso frecuente de ellos para labores personales y profesionales (85%), lo que nos indica que es un colectivo que se ha acercado bastante a las TIC.

Los principales usos declarados son: utilización del procesador de textos, navegar por Internet para buscar información y gestionar el trabajo personal, siendo mucho menor el uso del ordenador como apoyo a la clase o colaborar con grupos a través de

Internet. Se pone de manifiesto que, si bien el profesorado se ha acercado a las TIC, las utiliza principalmente para su uso personal y de preparación del trabajo de clase, pero todavía está lejos de la utilización en el aula como herramienta didáctica.

▸ El profesor y los alumnos las utilizan como instrumento de mediación y de comunicación entre ellos y entre los propios alumnos.

Las necesidades de *hardware* son ordenador y conexión a Internet en la casa del profesor y de los alumnos y/o en el centro educativo. Precisa programas y/o plataformas de comunicación.

Escribir mensajes de correo y participar en chats (46,9% casi todos los días) es la actividad que confiesan los alumnos que más realizan cuando utilizan el ordenador fuera del centro escolar.

▸ El profesor las utiliza para mostrar contenidos educativos en clase.

Las necesidades de *hardware* son ordenador, conexión a Internet y proyector en la clase, que se puede completar con pizarra digital interactiva (PDI). Precisa de la existencia de contenidos educativos digitales. Pero, ¿qué contenidos? ¿Qué características deben tener esos contenidos? ¿Quién los elabora?

Sin lugar a dudas esos contenidos han de ser contenidos didácticos específicos, que se ajusten al nivel educativo y que el profesor los pueda integrar en el desarrollo de la clase haciéndolos suyos en la mayor medida posible. Deben ser contenidos que el profesor pueda manipular o transformar para adaptarlos a sus necesidades educativas. Por ello, si bien pueden y deben existir contenidos de calidad de *software* propietario, se debe continuar con la creación de grandes repositorios o bancos de contenidos, propiciados por las administraciones, con licencia libre (*creative commons*). Estos repositorios de objetos de aprendizaje digital de acceso libre y en línea, como es la plataforma Agrega[37], han de permitir al profesor descargar, utilizar y mediante herramientas de edición, empaquetamiento y construcción de secuencias de aprendizaje trasformar los contenidos, si lo cree conveniente, con la obligación de que cualquier nueva publicación después de la transformación sea con idéntica licencia.

Las características básicas que deberían cumplir esos contenidos son: en red, accesibles, de calidad, interactivos y dinámicos, modulares, reutilizables y adaptables, multimedia, interoperables y estandarizados.

---

37. http://www.proyectoagrega.es

▶ El profesor y los alumnos las utilizan como instrumentos cotidianos en clase para construir conocimiento de forma compartida y como lugar de encuentro en el espacio virtual.

Requiere de ordenadores en el aula con conexión a Internet de banda ancha y la existencia de una plataforma que facilite la creación y gestión de contenidos y el desarrollo de actividades educativas que permita llegar a la elaboración de propuestas individualizadas para cada alumno.

Esta última forma de uso es sin duda la que puede ofrecer mayor innovación educativa ya que permite centrar la enseñanza en el estudiante, de forma que éste desarrolle conocimiento a través de los medios técnicos y que estos medios le permitan autonomía y capacidad de autoaprendizaje.

Uno de los problemas que se han planteado con la llegada de los ordenadores a los centros escolares es dónde y cómo colocarlos. Sin lugar a dudas, los ordenadores de sobremesa no son adecuados para la estructura de las aulas actuales, por lo que su ubicación en ellas ha resultado muy complicada y se ha tendido a la creación de aulas específicas o laboratorios. La llegada de los portátiles o de los actuales netbook solucionan en parte el problema, al ser más pequeños y permitir eliminar gran parte del cableado al tener conexión wifi. Las nuevas tabletas que empiezan a aparecer en el mercado, aunque todavía son caras; puede ser el *hardware* que mejor se adapte a la institución escolar, ya que puede cumplir con las finalidades de libro, cuaderno, multimedia y facilitar el acceso a Internet sin cables y con muy poco peso.

Pero el encuentro en el espacio virtual, además de banda ancha y la utilización de una plataforma, precisa que sigamos investigando sobre los nuevos lenguajes, contenidos y formas de comunicación a través de la pantalla en este espacio donde se producen los procesos de intermediación y comunicación.

En este sentido, conviene tener presente las funciones de la intermediación digital que estable Rodríguez de las Heras[38].

– Contener un contenido en el espacio digital y traspasarlo a otro soporte para su utilización posterior; por ejemplo, un texto se almacena digitalmente y se transfiere mediante impresora a papel para su lectura, o una grabación sonora se transfiere a un CD para ser escuchado posteriormente.

---

38. A. Rodriguez de las Heras. "Un nuevo espacio para la comunicación didáctica: la pantalla electrónica". *Bordón. Revista Española de Pedagogía*.2004, volumen 3 y 4.

– Acondicionar la pantalla para no precisar la transferencia a otros soportes. Se tiende a simular en la pantalla el soporte mediante *software* adecuado que recrea interfaces similares a los objetos reales. De esta manera en un solo espacio, la pantalla, permite integrar contenidos textuales, sonoros, audiovisuales, etc. y pasar de unos a otros sin necesidad de distintos aparatos.

– Crear nuevos contenidos que no se pueden traspasar a otro soporte o realizar sobre papel, en la pizarra, o mediante la exposición del profesor, o en un documental. Serian materiales más complejos que pueden integrar texto y multimedia y permitan plegar la información, y de esta manera dosificarla, a la que se accede mediante la interacción del usuario.

4. BARRERAS PARA LA IMPLANTACIÓN DE LAS TIC EN LA INSTITUCIÓN ESCOLAR

Llegado a este punto, cabe señalar que la implantación de las TIC se encuentra con una serie de barreras a nivel del sistema educativo, a nivel del centro escolar y a nivel del profesorado.

En la mayoría de los países es la organización y el currículum del sistema educativo y sus rígidas estructuras de evaluación los que impiden la integración de las TIC en las actividades diarias de aprendizaje. Pensemos como ejemplo cómo encajan las TIC en las actuales pruebas de nivel o en las pruebas de acceso a la universidad (PAU).

Por parte de las administraciones educativas y gubernamentales, es necesario diseñar y adoptar políticas educativas conjuntas en torno a las TIC para que el conjunto de la ciudadanía tenga acceso a una educación de calidad, garantizando la igualdad de oportunidades y avanzando hacia una educación que responda a los retos de la Sociedad del Conocimiento.

Se necesitan políticas globales de innovación educativa y no solamente programas de innovación pedagógica que apoyen la integración de las TIC en los currículos oficiales y en los procesos de evaluación y que implementen nuevas formas de desarrollo profesional continuo en el entorno del lugar de trabajo y como parte de una cultura de aprendizaje de observación a lo largo de la vida.

En los centros educativos, el acceso limitado a las TIC (debido a una carencia o a una pobre organización de los recursos TIC), la baja calidad y el mantenimiento inadecuado del *hardware* así como un *software* educativo poco apropiado, determinan el nivel de uso de las TIC por el profesorado en las salas de clase.

Esta situación contrasta con el amplio uso que se hace de las TIC en el ámbito de la gestión del centro (93%) y que los equipos directivos valoran muy positivamente su utilidad y eficacia (89,3%). No ocurre lo mismo con la comunicación en el centro con TIC (comunicación con familias 28,4%, comunicación entre docentes 28,0% y con otros centros 61,2%) donde el nivel es bajo, sobre todo si tenemos en cuenta que para lo que más se utiliza Internet es para la comunicación y para la búsqueda de información.

Tampoco existen normalmente estrategias generales ni actividades que orienten proyectos educativos con una dimensión TIC. Es por tanto recomendable que los centros integren la estrategia TIC dentro de sus estrategias generales y que transformen las actitudes positivas hacia las TIC en amplia y eficiente práctica. Esto podría alcanzarse con formación práctica, proporcionando materiales basados en las TIC fáciles de utilizar, compartiendo las experiencias, asegurando una infraestructura fiable y ampliando el conocimiento del profesorado en su asignatura, la motivación del alumnado y la facilidad para obtener resultados mediante la investigación.

Los sistemas educativos deben garantizar de manera progresiva que en todos los centros escolares exista una dotación de ordenadores suficiente en número y prestaciones –aportados por la Administración o por los propios alumnos–, con conectividad a la red por banda ancha, en un plan que avale la sostenibilidad de la iniciativa y la oferta de apoyo técnico para los centros educativos y su profesorado. Para facilitar el acceso a la red por parte de la comunidad educativa, se debe disponer de conectividad en todas las aulas y demás dependencias del edificio escolar y no solamente en el aula o laboratorio de informática: se debe pasar del aula de ordenadores a los ordenadores en las aulas. Igualmente, debe existir en el centro educativo un sistema de mantenimiento de equipos, *software* y redes realizado por personal especializado.

El profesor es la figura clave en los procesos de innovación, puesto que es quien debe generar los procesos instructivos centrados en el alumno, mediante la creación de nuevos entornos de aprendizaje activo y exploratorio, utilizando la variedad de recursos digitales multimedia y facilitando el acceso a la información. Ello supone por parte del docente desarrollar nuevas competencias y habilidades y la capacidad de apropiarse de los recursos digitales, haciéndolos suyos y adaptándolos a las exigencias de su alumnado. En contraposición a este planteamiento, la mayoría del profesorado, cuando utiliza las TIC, lo hace para subrayar la práctica tradicional existente.

La falta de formación y de confianza del profesorado en el uso de las TIC es determinante para su compromiso con ellas. Esta carencia está directamente relacionada con la calidad y la cantidad de los programas de formación del profesorado. Los propios profesores señalan como los principales obstáculos "el bajo nivel de formación en TIC" (78,2%), "la falta de tiempo para dedicar a las TIC" (72,3%) y "la carencia de personal especializado" (63,9%).

Un porcentaje elevado declara tener alguna formación específica en TIC (61,6%), pero solo el 20% del profesorado dice tener seguridad (técnica y didáctica) en el uso de los recursos TIC y porcentajes elevados de docentes afirman necesitar formación complementaria.

La creación de la figura de los coordinadores TIC integrados en los equipos directivos de los centros para apoyar al conjunto del profesorado en la elaboración de proyectos con dimensión TIC, la formación del profesorado en metodología y didáctica, y la creación de comunidades virtuales de profesores, que permitan proponer e intercambiar experiencias, contenidos y actividades entre los profesores permitirán poco a poco ir consiguiendo vencer estas barreras. En este sentido conviene recordar que la UNESCO[39] señala, respecto a la formación profesional del docente, que se deben "utilizar recursos de las TIC para participar en comunidades profesionales y examinar y compartir las mejores prácticas didácticas".

5. CONCLUSIONES

Las tecnologías de la información y comunicación ofrecen muchas posibilidades para apoyar los procesos de enseñanza-aprendizaje. Favorecen la motivación, el interés por la materia, la creatividad, la imaginación y los métodos de comunicación, mejoran la capacidad para resolver problemas y trabajar en grupo, refuerzan la autoestima y permiten mayor autonomía de aprendizaje.

Aunque la implantación de las TIC en las aulas no es todavía todo lo rápida que se desearía, son muchos los profesores que en función de sus posibilidades y recursos disponibles las están incorporando en su quehacer diario. El desafío de las administraciones consiste en formar a todo el profesorado y a todos los centros educativos para alcanzar un estado de "e-madurez". Los mayores esfuerzos, por tanto, deben hacerse en la formación del profesorado para que aprenda no sólo a utilizar las TIC, sino que también se las apropie y las integre en sus estrategias de uso cotidiano con propósitos educativos, para así poder incorporarlas al proceso de enseñanza-aprendizaje diario.

---

39. UNESCO.*Estándares de la Unesco de competencias en TIC para docentes´*(En línea) Diponible en: http://www.eduteka.org/EstandaresDocentesUnesco.php

Capítulo XIII
¿PUEDE LA IMPLICACIÓN DE LOS PADRES MEJORAR EL CLIMA ESCOLAR Y LOS RESULTADOS?

Alfred Fernández
OIDEL
Colegio Universitario Henry Dunant (Ginebra)
Cátedra UNESCO, Universidad de La Rioja (España)

1. INTRODUCCIÓN: RESULTADOS – NOCIÓN DE CALIDAD

Desde hace algunos años, la necesidad de la calidad se vuelve un imperativo para los sistemas educativos. Incluso la Declaración sobre la diversidad cultural de la UNESCO de 2001 hace de la calidad un concepto normativo cuando en su artículo 5 habla de "una educación y formación de calidad que respete plenamente (la) identidad cultural". Resulta sin embargo difícil encontrar criterios que permitan determinar la calidad de un sistema yendo mas allá de los simples resultados en materias básicas como hacen las evaluaciones nacionales o internacionales que, por cierto y por fortuna, se han multiplicado desde el comienzo del milenio.

La Unión Europea entiende que la participación de los padres es un factor importante de calidad. "La participación de los padres en la educación de sus hijos influye considerablemente en la mejora del funcionamiento del colegio y en la calidad de la educación de los niños", afirma el Informe europeo sobre la calidad de la educación escolar: dieciséis indicadores de calidad (2000).

La Unión Europea pedía igualmente a los Estados hace ya algunos años "evolucionar hacia una mentalidad favorable a las responsabilidades compartidas, a la participación de los interlocutores sociales, a las asociaciones entre el sector público y el privado" (UE, 2001, p. 12), y en un documento más reciente, que "la aplicación sigue siendo el mayor reto para las estrategias de aprendizaje permanente. Requiere un gran compromiso institucional, así como la coordinación y la asociación con todas las partes interesadas pertinentes" (UE, 2009).

En nuestra opinión la calidad guarda estrecha relación con el enfoque de derechos que debe aplicarse a la educación, mejor dicho, es el respeto del derecho el estándar que permite medir adecuadamente la calidad. Siguiendo la visión de Kirkemann y

Martin (2007) se pueden concebir tres enfoques en las políticas: benevolencia, necesidades y derechos. Se podrían representar así:

	Enfoque benevolencia	Enfoque necesidades	Enfoque derechos
Acento	aumento recursos y actitudes positivas	identificación de necesidades	realización de derechos
Reconocimiento de	responsabilidad moral hacia los pobres	necesidades consideradas como válidas	derechos que permiten acciones legales y morales contra los deudores
Personas consideradas como	víctimas	sujetos de desarrollo	habilitadas para defender sus derechos
Acción sobre	problemas	causas inmediatas de los problemas	causas estructurales de los problemas y manifestaciones

El enfoque de derechos significa pasar de la óptica del prestatario de un servicio, en este caso la óptica del Estado o de la Administración pública, a la óptica del sujeto del derecho, en este caso el niño o la niña y sus padres. El enfoque de derechos podría esquematizarse, siguiendo a la UNESCO, en tres principios:

— Las políticas educativas deben contribuir al ejercicio de los derechos humanos.

— Las normas de derechos humanos deben inspirar las políticas educativas.

— Las políticas deben hacer que los que tienen obligaciones puedan cumplirlas y los titulares de derechos puedan reclamarlos.

Por otra parte, el momento actual es un momento de cambio importante de modelo en la gobernanza de los sistemas educativos, quizás el más importante desde la creación de la escuela. Este cambio podría definirse, sin ser exhaustivos, con tres rasgos:

1. El Estado comparte la responsabilidad de la educación con las partes implicadas, en este caso la sociedad civil y el sector privado.

2. La buena gobernanza es una gobernanza democrática que implica una transparencia de las autoridades públicas que informan oportunamente a los otros actores

de las políticas y que posibilita la participación de las partes implicadas. Las autoridades públicas rinden cuentas regularmente de su acción ante la sociedad civil y favorecen la evaluación participativa de las políticas.

3. Diálogo político versus técnico o pedagógico. Se hace cada día más frecuente que las políticas públicas vayan precedidas de un diálogo político –consultas públicas, libros blancos, reuniones de debate, debates o consultas en Internet– entre las partes implicadas de modo a realizar políticas públicas consensuales. Se estima más importante el consenso entre los diferentes actores que la perfección técnica de la propuesta[40].

2. LA PARTICIPACIÓN DE LOS PADRES CON UN ENFOQUE DE DERECHOS

Partiendo de este enfoque de derechos, un grupo de Universidades y ONG está desarrollando un proyecto de Indicadores de participación de padres en la enseñanza obligatoria (IPPE). Desde este punto de vista –el enfoque de derechos–, se concibe la participación en términos de derechos de los padres y competencias atribuidas a los órganos de representación parental.

La especificidad del proyecto IPPE estriba en su orientación práctica. Su objetivo final es la creación de indicadores que permitan el monitoreo de las políticas públicas con el fin de mejorar la gobernanza –y la calidad, por ende– de los sistemas educativos. El proyecto servirá igualmente para reforzar las capacidades de las partes implicadas en la educación (docentes, padres y alumnos) para vigilar la aplicación de las políticas educativas.

IPPE reagrupa instituciones que colaboran desde hace varios años y que constituyen una Red informal de estudio de la gobernanza de los sistemas educativos (REGE): universidades, centros de investigación, asociaciones de padres, en particular la Asociación de padres de alumnos de Europa (EPA) y ONG forman parte de esta red. El proyecto se extiende a seis países de la Unión Europea (España, Francia, Italia, Portugal, Reino Unido y Rumanía) más Suiza, en una primera fase, y a 15 países de la Unión en la segunda fase.

---

40. Cf *Dialogue politique et éducation : Expériences africaines et portugaise* vol. 1 *Perspectives*; XXXVI, 1/137, mars 2006 , *Dialogue politique et éducation : Expériences africaines* vol. 2 *Perspectives*; XXXVI, 2/138, juin 2

Los socios del proyecto son las Universidades de Bergamo, de Aberystwyth (Reino Unido), de La Rioja (España) y el Instituto de Ciencias de la Educación de Rumanía, la Asociación de padres de alumnos de Europa (EPA), la Fundación Pro-Dignitate (Portugal) y OIDEL. El Gobierno de La Rioja y el Gobierno de Lombardía, participan igualmente en el proyecto para dar el punto de vista de las administraciones educativas.

Vale la pena subrayar que hasta ahora, muy pocos estudios han adoptado un enfoque basado en derechos en este terreno, aunque este enfoque parezca esencial. La investigación parte de los derechos individuales y colectivos de los padres reconocidos en las legislaciones de los Estados. Según los estudios de Eurydice, (1997, 2004) sobre los que se apoya la investigación, estos derechos son los siguientes:

a) Derechos individuales de los padres. El primer derecho según Eurydice es el derecho de escoger la escuela que desean para sus hijos. Además, pueden disponer de un derecho de recurso en varios campos. En la mayoría de los casos, este derecho se refiere a la evaluación y la orientación de su hijo. En tercer lugar existe un derecho a la información acerca del proyecto escolar, de los resultados, de los progresos de su hijo o sus propios derechos.

b) Los derechos colectivos. Cabe señalar que la participación de los padres en el sistema educativo es un fenómeno reciente. Esta práctica se ha desarrollado principalmente a partir de los años 1970. En la mayoría de los países de la UE se empezó a aplicar la legislación en este campo en los años 1980.

Para elaborar estos indicadores, se ha utilizado el informe del Alto Comisionado sobre el uso de indicadores en la vigilancia de la aplicación de los instrumentos internacionales relativos a los derechos humanos. Este informe "define los indicadores como informaciones concretas que permiten analizar un evento, una actividad o un resultado susceptible de ser relacionado con reglas o normas en materia de derechos humanos, que conciernen y reflejan las preocupaciones y los principios relativos a los derechos humanos, y que son utilizados para evaluar y vigilar la promoción y la protección de dichos derechos" (Naciones Unidas, 2006, par. 7, traducción del francés)

Este informe especifica igualmente que para poder tomar en cuenta de manera sistemática e integral los indicadores que permiten medir el nivel de compromiso, los esfuerzos y los resultados del que detiene obligaciones, es necesario definir indicadores estructurales, de método y resultados.

El proyecto IPPE analiza primero los indicadores estructurales, es decir las normas internacionales ratificadas por los Estados tanto a nivel internacional como regional, es decir europeo.

La base jurídica internacional de los derechos de los padres a la participación podría resumirse en el párrafo 3 del artículo 13 del Pacto de Pacto Internacional de los Derechos Económicos, Sociales y Culturales (PIDESC):

"3. Los Estados partes en el presente Pacto se comprometen a respetar la libertad de los padres y, en su caso, de los tutores legales, de escoger para sus hijos o pupilos escuelas distintas de las creadas por las autoridades públicas, siempre que aquéllas satisfagan las normas mínimas que el Estado prescriba o apruebe en materia de enseñanza, y de hacer que sus hijos o pupilos reciban la educación religiosa o moral que esté de acuerdo con sus propias convicciones".

El proyecto IPPE identifica en este sentido los instrumentos internacionales y regionales que tienen una relación directa con la participación, entendiendo que la ratificación de estos instrumentos supone un compromiso serio de los Estados hacia el tema.

La lista de instrumentos internacionales es la siguiente:

– Pacto Internacional de los Derechos Económicos, Sociales y Culturales (PIDESC).

– Pacto Internacional de los Derechos Civiles y Políticos (PICP).

– Convención sobre los Derechos del Niño (CDN).

– Convención sobre la Eliminación de todas la formas de Discriminacion contra la Mujer (CEDAW.

– Convención Internacional sobre la protección de los derechos de todos los Trabajadores Migratorios y de sus familiares (CTM).

– Convención relativa a la lucha contra las Discriminaciones en la esfera de la Enseñanza (CADE).

Instrumentos regionales (europeos):

– Convenio europeo para la Protección de los Derechos Humanos y de las Libertades Fundamentales (CEDH).

– Protocolo n°1 al Convenio Europeo.

– Convenio marco para la protección de las minorías nacionales.

Todos los países analizados han ratificado los principales instrumentos internacionales salvo los siguientes

Convenios no ratificados

Discriminación educación	Bélgica, Suiza
Trabajadores migrantes	Ningún país
Convenio marco de minorías	Bélgica
Protocolo 1 CEDH	Suiza

La segunda parte del estudio establece indicadores por cada uno de los derechos, recogiendo las informaciones disponibles sobre la participación de los padres en la legislación de los Estados y en las páginas web de las administraciones públicas. Evidentemente estos límites metodológicos impuestos por el alcance del proyecto han restringido el ámbito del campo. Así hemos establecido un dispositivo que comprende:

Derecho a la información: dos indicadores

Derecho de elección: dos indicadores

Derecho de recurso: dos indicadores

Derecho de participación: cuatro indicadores

Nos ha parecido igualmente pertinente y de un alcance político más importante, establecer un indicador global sobre la participación de los padres. Para ello, después de atribuir un máximo de 100 puntos por derecho nos hemos limitado a dividir la suma obtenida entre cuatro, dando, en consecuencia, un peso idéntico a cada derecho[41].

El resultado de cada país fue sometido a una consulta con las partes implicadas: sindicatos de profesores, asociaciones de padres y representantes de los poderes públicos. Un coloquio final con todos los socios reajustó de nuevo los indicadores y estableció nuevos baremos. Conviene hacer notar que toda la investigación está animada por una voluntad inclusiva. Los resultados detallados se publicarán en un

---

41. Para una explicación detallada de la metodología se puede consultar el documento de OIDEL, (2009) *Comment mésurer la participation des parents*, WP 12, Ginebra.

documento que saldrá a la luz en 2011 y serán comentados con las mismas partes implicadas: padres, profesores y autoridades públicas en cada país.

En anexo se representan gráficamente los principales resultados de la investigación. Se observa en la figura 1 que los países que superan el promedio europeo son el Reino Unido de manera muy clara y Bélgica en menor medida. España y Portugal están rozando la media y el grupo lo cierran tres cantones suizos.

La figura 2 compara el indicador global con el indicador de participación en los órganos formales. Se observa que el grado de participación en los órganos formales coincide sustancialmente con el indicador global.

Lo que no reflejan los gráficos son, por fuerza, las particularidades de los países que matizan las cifra, por lo que es preciso una vez mas subrayar que los indicadores no son medidas absolutas, sino simples indicaciones de tendencias. Los comentarios que efectuamos en las conclusiones permitirán al lector una mejor comprensión de nuestro trabajo.

3. CONCLUSIONES: FALTA DE INFORMACIÓN Y AUSENCIA DEL ENFOQUE DE DERECHOS

Nuestra investigación, decíamos al principio, tiene como objetivo establecer indicadores ciudadanos, que permitan evaluar la participación de los padres en base a la información disponible para el público en general. Como ya dijimos, hemos limitado nuestro análisis a las normas que rigen el sistema educativo y a la información disponible en los sitios web y otras fuentes facilitadas por las autoridades públicas.

La investigación confirmó la ausencia en los países de la Unión de un enfoque basado en derechos. El enfoque actual de los países objeto de estudio es del tipo de carácter benéfico o de necesidades por seguir la tipología de Kirkemann y Martin (2007) antes mencionada. Hay de decir que el enfoque basado en derechos tampoco aparece en el Marco estratégico 2020. En nuestra opinión es urgente introducir este enfoque para ir a las causas estructurales de los problemas y manifestaciones (Kirkemann y Martin, 2007) y realmente dar al ciudadano los medios para defender su derecho a la educación.

Es de lamentar igualmente que en el Marco estratégico para la cooperación europea en el ámbito de la educación y la formación ("Educación y Formación 2020") los padres nunca son mencionados explícitamente.

El enfoque basado en los derechos implica colocar al titular el derecho –el niño y sus padres– en el centro de la política educativa. Nuestra convicción es que este enfoque nos permite comprender adecuadamente la relación entre diversidad cultural y la cohesión social en Europa: Objetivo Estratégico 3 de Educación y Formación 2020. De hecho las políticas educativas, que deben preservar tanto la cohesión como la diversidad, no pueden dejar de considerar la estrecha vinculación de la educación con la libertad de pensamiento, de conciencia y de religión. (TEDH, par. 84, a). El Tribunal Europeo de Derechos Humanos también han puesto de manifiesto la importancia de la diversidad y el pluralismo ideológico. La mayoría no puede imponer un modelo educativo o un modelo de sociedad: "f) (…) la democracia no significa simplemente que siempre deban prevalecer los puntos de vista de una mayoría; se debe alcanzar un equilibrio que asegure un tratamiento justo y adecuado de las minorías y evite todo abuso de posición dominante (véase Valsamis, citado anteriormente, p. 2324 par.27)" (TEDH, par. 84).

En este sentido, lamentamos que ningún país ha ratificado la Convención Internacional sobre la Protección de los Derechos de Todos los Trabajadores Migratorios y de sus familiares, que reconoce el derecho a la educación de los niños migrantes. Este es una mala señal en relación con la equidad en los sistemas educativos.

Por último, estamos convencidos con la Comisión Europea de que "una mayor participación de las partes implicadas, de los interlocutores sociales y de la sociedad civil es otra de las prioridades, ya que su contribución al diálogo político, así como a la aplicación de las políticas puede ser considerable" (Comisión Europea, 2008, p. 13). La mención del diálogo político es importante porque implica reconocer que la educación y la formación no pueden gobernarse con eficacia y equidad por mecanismos meramente técnicos, se requiere un enfoque global y un diálogo basado en los intereses de los ciudadanos.

Estas constataciones nos llevan a efectuar algunas recomendaciones que pueden resumirse así:

Es necesario desarrollar dispositivos que reflejen las expectativas y opiniones de los padres, por ejemplo a través del Eurobarómetro; ello permitiría tener una idea mas clara de la realidad.

El Libro Blanco sobre la gobernanza europea afirma que "la calidad, la pertinencia y la eficacia de las políticas de la Unión implican una amplia participación de los ciudadanos en todas y cada una de las distintas fases del proceso, desde la concepción hasta la aplicación de las políticas. Una participación reforzada debería generar una mayor confianza en los resultados finales" (C. Europea, 2001, p. 11). En el ámbito de la participación de los padres todavía estamos muy lejos. Creemos que es preciso diversificar la participación y desarrollar nuevas formas de participación de los padres. Ampliar el derecho a votar en el terreno educativo según el modelo de la democracia directa suiza, devolver la gestión del centro a los propios padres como en el Reino Unido, promover el establecimiento de escuelas administradas directamente por los padres, establecer nuevas formas de gobernanza, como las escuelas charter, promover las comunidades de aprendizaje son posibles iniciativas en este sentido. También podría desarrollar proyectos participativos basados en la idea de un contrato o convenio en materia de formación entre las escuelas y las familias.

Podría ser útil por último lanzar una campaña europea para informar y formar a los padres sobre la participación en el marco de los mecanismos existentes para promover la "ciudadanía activa" en este campo. También es necesario capacitar a los interesados en un enfoque basado en los derechos y crear una nueva cultura de participación a partir de nuevas formas como las sugeridas anteriormente.

Indicador global

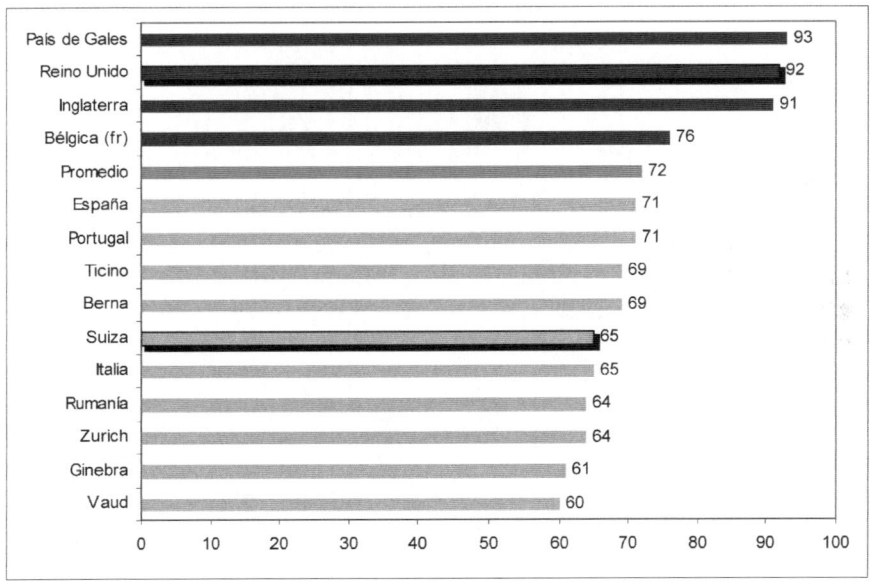

Comparación indicador global / derecho de participación en órganos

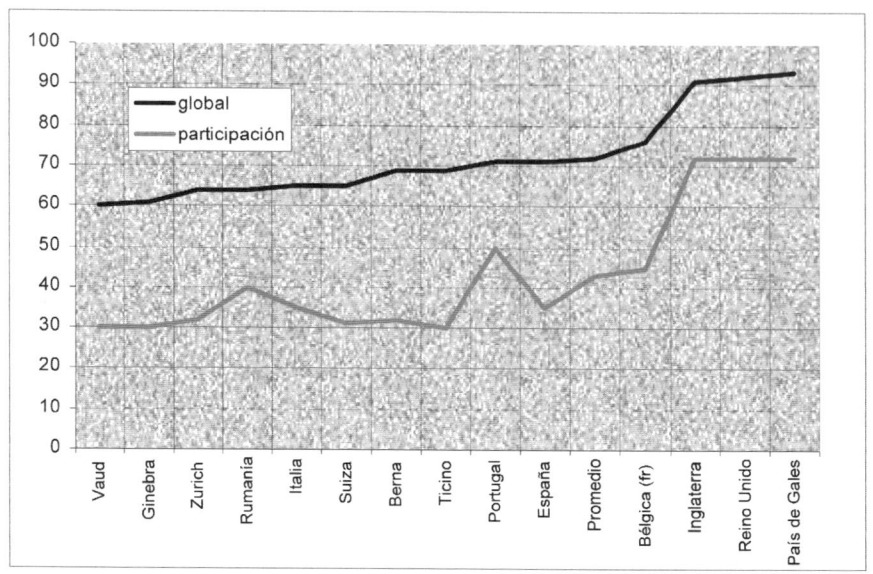

4. REFERENCIAS

Comisión Europea (2000). Informe europeo de mayo de 2000 sobre la calidad de la educación escolar: dieciséis indicadores de calidad - Informe basado en la labor del grupo de trabajo "Indicadores de calidad" http://europa.eu/legislation_summaries/education_training_youth/lifelong_learning/c11063_es.htm.

Comisión Europea (2001). *Gobernanza europea. Un libro blanco.* Doc. COM (2001) 428 final.

Comisión Europea (2008). *Communication de la Commission: Un cadre stratégique actualisé pour la coopération européenne dans le domaine de l'éducation et de la formatio.* Doc COM (2008) 865 final.

Consejo de la U. Europea, (2001). Informe del Consejo "Educación" al Consejo Europeo "Futuros objetivos precisos de los sistemas de educación y formación". Doc 5980/01, Educ 18.

Consejo de la U. Europea (2009). Conclusiones del Consejo el 12 de marzo de 2009 sobre un marco estratégico para la cooperación europea en el ámbito de la educación y la formación ("ET 2020"). Doc 2009/c 119/02.

Eurydice (1997). *La participation des parents dans l'école*, Bruxelles, Doc D/1997/4008/5.

Eurydice, Unita italiana (2004). Il ruolo dei genitori nelle scuole in Europa. *Bolletino d'informazione internazionale*. Roma, 2/2004.

Kirkemann Boesen, J. & Martin, T. (2007). Applying a rights-based approach. An inspirational guide for civil society, Danish Institute for Human Rights.
http://www.humanrights.dk/files/pdf/Publikationer/applying%20a%20rights%20based%20approach.pdf,

Naciones Unidas (2006). Instrumentos relativos a los derechos humanos. Doc HRI/MC/2006/7.

Tribunal Europeo de Derechos Humanos (TEDH). Folgero c. Noruega (Ap. No. 15472/02, 2007).

Capítulo XIV
LAS COMUNIDADES DE APRENDIZAJE.
UNA APUESTA POR LA IGUALDAD EDUCATIVA

Ramón Flecha García y Lídia Puigvert.
Universidad de Barcelona

1. LA TRANSFORMACIÓN DE ESCUELAS EN COMUNIDADES DE APRENDIZAJE

Las escuelas que están realizando su transformación en comunidades de aprendizaje siguen, entre otras, las tres siguientes fases: sueño, prioridades y comisiones de trabajo. Esta transformación se basa en los procedimientos de cualquier parte del mundo que mejor superan el fracaso escolar y los problemas de convivencia.

Las comunidades de aprendizaje parten de una base: todas las niñas y niños tienen derecho a una educación que no les condene desde su infancia a no completar el Bachillerato y no acceder a un puesto de trabajo.

Una comunidad de aprendizaje es un proyecto de transformación social y cultural de un centro educativo y de su entorno para conseguir una Sociedad de la Información para todas las personas, basada en el aprendizaje dialógico, mediante una educación participativa de la comunidad, que se concreta en todos sus espacios (Valls: 2000).

2. LAS FASES DE LA TRANSFORMACIÓN

En la formación de Comunidades de Aprendizaje existen dos pre-fases: la llamada sensibilización y la toma de decisión. Son dos momentos previos al desarrollo de las fases del proyecto e implican:

Sensibilización: Contempla unas sesiones de formación continua de unas 30 horas donde se explica y discute la sociedad de la información en la que nos encontramos y los conocimientos que requerirá de los niños y niñas que en los próximos años trabajarán en ella.

La sensibilización contempla sesiones con todos los actores sociales implicados. Incluye, por ejemplo, 30 horas de reflexión con el claustro (y con el resto de agentes de la comunidad si es posible). En ellas hay que realizar un análisis serio del contexto social en que se enmarcan los procesos educativos y formativos y los desarrollos actuales de las Ciencias Sociales, en el que surgen cambios fundamentales para la transformación de las concepciones que son hegemónicas entre nosotras y nosotros.

Estas 30 horas se realizan de manera intensiva en un corto período de tiempo y, entre otras cosas, sirven para aclarar y discutir los conocimientos que los niños y niñas de hoy necesitarán para superar las situaciones de desigualdad social en el nuevo contexto informacional y desenvolverse con éxito en las distintas esferas de su vida personal y laboral.

Tras la fase de sensibilización, es preciso que la comunidad **tome la decisión** de iniciar el proyecto de transformación del centro en Comunidad de Aprendizaje

Los requisitos mínimos de la decisión son:

a) El 90% del claustro ha de estar a favor de llevar a cabo el proyecto.

b) Acuerdo del equipo directivo del centro educativo.

c) Aprobación por el consejo escolar.

d) Aprobación mayoritaria en la asamblea organizada por la AFA (Asociación de Familiares).

e) Decisión de la Dirección General que dote al centro del máximo de autonomía.

Una vez que el claustro, apoyado por la comunidad, se ha comprometido a llevar hacia delante el proyecto, nos introducimos en la primera fase:

El sueño (que puede durar de un mes a un año) es elaborado conjunta y dialógicamente por todos los sectores que quieran implicarse: profesorado, familiares, alumnado, personal no docente, profesionales de lo social, asociaciones, entidades. Uno de los lemas que debe guiar la participación del profesorado es: que el aprendizaje que queremos para nuestras hijas e hijos esté al alcance de todas las niñas y niños.

Las familias académicas (que tienen un título universitario en casa), entre las que estamos el profesorado, estamos logrando con nuestras hijas e hijos que terminen el Bachillerato y tengan opción de estudiar en la universidad. Sin embargo, cuando hablamos de escuelas con familias no académicas, y más si son de árabes y/o gitanas y gitanos, nos parece ya suficiente que algunas y algunos acaben la enseñanza secundaria obligatoria.

Las comunidades de aprendizaje no quieren adaptarse a la diversidad (es decir, a la desigualdad) sino transformar la escuela y su contexto social hacia la utopía de convertirla en un proyecto educativo igualitario. El objetivo de la igualdad toma su esencia en el planteamiento de la sociedad de la información, para que todas las personas que intenten conseguir que sus hijos e hijas tengan la posibilidad de seguir unos itinerarios educativos exitosos, vean que es posible independientemente de la clase social, minoría étnica o condición socio-cultural de la que provengan.

Realizada esta fase, se cogen unos trozos de sueño que se convierten en prioridades a conseguir en los próximos meses y/o años. Aunque las prioridades varían en cada comunidad, explicaremos una muy importante para ver la transformación dentro del aula. Esta transformación en el aula consiste en los grupos interactivos que son la mejor alternativa que se ha dado a nivel mundial al debate sobre la vía de la exclusión y la vía igualitaria.

3. LOS GRUPOS INTERACTIVOS

Resulta indudable que el aprendizaje del alumnado depende cada vez más del conjunto de sus interacciones y no sólo de las que se producen en el aula. También está claro que la coordinación de los diferentes agentes de aprendizaje aumenta mucho el rendimiento escolar y fortalece las redes de solidaridad y los objetivos igualitarios.

La vía educativa hacia la exclusión está muy investigada y es internacionalmente conocida y, aún así, sigue siendo. Consta de tres pasos. En el primero, se agrupan en un mismo espacio a las niñas y niños en diferentes grupos según sus ritmos de aprendizaje. En el segundo, a las y los diferentes (lentos, conflictivos) se les saca del aula "regular" a otras aulas con adaptaciones curriculares, es decir, de un nivel que ni el profesorado que lo propone y aplica quiere para sus propias hijas e hijos. En el tercer paso, se les saca no sólo del aula, sino del propio instituto en lo que en Catalunya se llaman unidades escolares externas y que en algunos países han generado demandas de inconstitucionalidad por excluir a las chicas y chicos de su derecho a la escolaridad.

Los grupos interactivos son el enfoque contrario. En lugar de decir que como no se puede con todos los niños y niñas en el aula, se les saquen del aula, el profesorado pide ayuda para que entren más personas en el aula.

Los grupos interactivos son una forma flexible de organizar el trabajo educativo en el aula. Su finalidad es intensificar el aprendizaje mediante interacciones que se establecen entre todos los participantes (niños/as, profesorado, voluntariado, etc.). Con esta metodología se consigue favorecer la interacción entre iguales y activar el trabajo en equipo, ya que se trata de llegar a un objetivo común a partir de las aportaciones de cada uno de los miembros del grupo.

El principio básico de este procedimiento es ampliar el intercambio de conocimientos mediante una trama de interacciones entre el alumnado y entre el alumnado y las personas adultas que estén en el aula. Este intercambio de conocimientos no sigue un formato o secuenciación preestablecida, sino que lo establece el propio alumnado a partir de su propia experiencia. La mayoría de las veces, las explicaciones que ofrecen los niños o niñas que acaban de efectuar un aprendizaje determinado son mucho más ilustrativas que las que puede realizar el mismo profesorado. El alumnado suele utilizar un lenguaje más próximo y tiene la experiencia de aprendizaje mucho más reciente, con lo cual, suele explicar a sus compañeros y compañeras mucho mejor los ejercicios.

Los grupos interactivos consisten en agrupamientos de cuatro alumnos/as (dependiendo del número de alumnado por aula). El tiempo total de la clase se divide por el número de grupos, de manera que se diversificarían las actividades lo máximo posible para mantener en todo momento la motivación y la expectación del alumnado. Cada actividad puede planificarse para hacerla en unos 20 minutos. Cada grupo realiza una actividad concreta y dispone de una persona adulta encargada de dinamizarla. Aunque las actividades se cada grupo sean diferentes, han de mantener relación entre ellas, ya que la temática general ha de ser la misma para todo el mundo. Después de los 20 minutos todos los grupos rotan hacia la otra actividad en la que hay otra persona adulta que dinamiza el grupo.

Una de las premisas de estos grupos es que estén formados por personas heterogéneas (de etnia, género, motivación, rendimiento...); de esta manera se potencia que el alumnado se ayude entre sí, provocando un aprendizaje mucho más motivador y comprensible a su vez.

4. LA PARTICIPACIÓN DE LAS FAMILIAS

Otra de las prioridades es la formación de familias y familiares. En la actual sociedad de la información el aprendizaje depende cada vez menos de lo que ocurre en el aula y cada vez más de la correlación entre lo que ocurre en las aulas, en la calle y en la cocina. La formación que se da a las personas adultas que conviven con la niña o niño en el aula (profesorado) fomenta su aprendizaje, pero aún lo hace mucho más la formación que se da a las personas adultas con las que conviven en sus domicilios (familiares).

En las comunidades de aprendizaje las salas de Internet son utilizadas unas horas por las alumnas y alumnos, otras horas por sus familiares y otras horas por las familias, es decir, conjuntamente alumnado y sus familiares.

En la sociedad de la información, el aprendizaje depende cada vez más de las interacciones que la niña o niño tienen con todas las personas con que se relacionan y, como parte de ellas, con sus familiares. Si dejamos a los familiares fuera de la escuela es seguro que las familias pobres y de otras culturas irán al fracaso escolar y a la exclusión social. En las comunidades de aprendizaje no sólo vienen a formarse sino también a participar en plan igualitario en las comisiones de trabajo que se crean para llevar adelante cada una de las prioridades.

5. REFERENCIAS

AA.VV. (1998). "Comunidades de Aprendizaje: propuesta educativa igualitaria en la sociedad de la información". *Aula de Innovación Educativa*, Nº 72, Barcelona, Graó, pp. 49-59.

Aubert, A. y García, C. (2001). "Interactividad en el aula". *Cuadernos de Pedagogía*. Nº 301. Barcelona, Praxis, abril. p. 20

Ayuste, A.; Flecha, R.; López, F.; Lleras, J. (1994). *Planteamientos de la pedagogía crítica. Comunicar y transformar*. Barcelona: Graó.

Castells, M.; Flecha, R.; Freire, P.; Giroux, H.; Macedo, D.y Willis, P. (1994). *Nuevas perspectivas críticas en educación*. Barcelona: Paidós.

Castells, M. (1997/1998). *La era de la información. Economía, Sociedad y Cultura* Vol 1: *La sociedad red*. Vol 2: *El poder de la identidad*. Vol 3: *El fin del milenio*. Madrid: Alianza. (p.o. en 1996/1998).

Comer, J. (1993*). School Power: implications of an intervention project*. New York: Simon and Schuster.

CREA. (1999). "Cambio Educativo y Social. Teorías y prácticas que superan las desigualdades". I Jornadas Educativas del Parc Científic. Organizadas por CREA y celebradas en Barcelona el 21 y 22 de noviembre.

CREA (2000). Cambio Educativo y Social. Acciones educativas, sociales y económicas que mejoran la convivencia entre culturas. II Jornadas Educativas del Parc Científic. Organizadas por CREA y celebradas en Barcelona el 28 y 29 de noviembre.

Elboj, C. (2001). Tesis doctoral: Comunidades de Aprendizaje: un modelo de educación antirracista en la sociedad de la información. Universidad de Barcelona.

Flecha, R. y Puigvert, L. (et al.) (1998). "Aportaciones de Paulo Freire a la Educación y a las Ciencias Sociales". *Revista interuniversitaria de formación de profesorado*, N° 33. AUFOP, Asociación Universitaria de formación del profesorado, Madrid. pp. 21-28

Flecha, R. (1997). *Compartiendo palabras*. Barcelona: Paidós.

Freire, P. (1997). *A la sombra de este árbol*. Barcelona: El Roure.

Habermas, J. (1987-1989). *Teoría de la acción comunicativa*. Vol. I y II. Madrid: Taurus.

Levin, H.M. (1987). "New school for the disadvantaged". *Teacher Education Quarterly*. Vol. 14, N° 4.

Puigvert, L. (et al.) (1998). *Participación y no participación en Educación de Personas Adultas en España. Un enfoque comunicativo y crítico en investigación*. Sao Paulo: Cedes.

Sánchez Aroca, M. (1999). "La Verneda-St. Martí: a school where dare to dream". *Harvard Educational Review*, Vol. 69. N° 3. Cambridge: Harvard University. pp 320-335.

Slavin, R.E. (1997). *Educational Psychology. Theory into practice*. Englewood Cliffs, NJ: Prentice-Hall,

Valls, R. (2000) Tesis doctoral: Comunidades de Aprendizajes: una práctica educativa de aprendizaje dialógico para la sociedad de la información.

Capítulo XV
EL COMPROMISO DOCENTE CON LA JUSTICIA SOCIAL Y EL CONOCIMIENTO

Juan Carlos Tedesco

1. INTRODUCCIÓN

Este texto, dedicado al análisis del compromiso social y político del profesorado, está dividido en dos grandes secciones. En la primera de ellas intentaremos ofrecer una breve síntesis de los principales temas y hallazgos que las investigaciones recientes han proporcionado sobre la situación, el papel y la relación de los docentes con la sociedad. En la segunda, el foco estará puesto en las condiciones que generan los cambios sociales, políticos y culturales provocados por el así llamado "nuevo capitalismo", en el desempeño docente. La hipótesis que intentamos desarrollar consiste en sostener que el compromiso docente en este nuevo contexto social debe estar asociado a los dos pilares fundamentales de la educación: desde el *aprender a vivir juntos* se define el compromiso con la justicia social y desde el *aprender a aprender*, el compromiso con el conocimiento. Ambas dimensiones están articuladas y, en conjunto, podrían cubrir el déficit de sentido que caracteriza a la educación y al desempeño docente en la actualidad. Este compromiso es muy exigente tanto en términos cognitivos como éticos y emocionales, lo cual provoca desafíos que afectan la formación docente y los dispositivos institucionales en los cuales se desarrolla su actividad.

2. PRINCIPALES RASGOS DE LA SITUACIÓN DE LOS DOCENTES

El rasgo más paradójico que define la actual situación de los docentes es la coexistencia de un consenso general en reconocer que la calidad de la educación depende de la calidad de los docentes por un lado, y una representación social según la cual la profesión docente ha sufrido un profundo proceso de desprestigio, asociado a la desmoralización y al creciente corporativismo de sus organizaciones por el otro. Distintas investigaciones han aportado elementos para explicar este fenómeno. Existen coincidencias en señalar que se trata de un problema complejo o, mejor dicho, *sistémico*. Por un lado, la *masificación de la profesión docente* es un factor importante a la hora de explicar procesos de desprofesionalización y deterioro de las condiciones de trabajo, particularmente del salario. La masificación de la profesión docente está obviamente asociada a la expansión de la cobertura escolar, lo cual ha llevado a que el empleo docente sea en muchos países el principal sector dentro del empleo público. Entre las múltiples consecuencias de este fenómeno, es importante destacar la ruptura de la homogeneidad dentro del profesorado. Las diferencias materiales, culturales y profesionales entre docentes de educación inicial, primaria, secundaria y universitaria son ahora muy significativas y, en todos los casos, afecta a colectivos muy numerosos.

Asociado a la masificación, es preciso mencionar la *ampliación del espectro de posibilidades de trabajo para las mujeres*. Tradicionalmente, la docencia era casi la única posibilidad de carrera y empleo para las mujeres de sectores medios y altos que buscaban un desarrollo profesional. La incorporación de la mujer a una gran variedad de sectores del mercado laboral provocó un cambio significativo en la elección de la docencia. Estudios llevados a cabo en distintas regiones muestran como un rasgo común el hecho que la elección de la carrera docente se lleva a cabo entre jóvenes de bajo desempeño académico en la escuela secundaria, que han intentado sin éxito alguna otra carrera o que estudian magisterio en paralelo a otra carrera más prestigiosa y abandonan la docencia cuando pueden ejercer otra profesión.

Pero además de estos factores objetivos, el deterioro de la profesión docente está asociado a variables culturales vinculadas a *la aparición de nuevos agentes de socialización y a los cambios en los procesos de transmisión cultural que se han producido en la sociedad*. Con respecto a los agentes de socialización, el primer impacto significativo lo produjo la expansión de los medios de comunicación de masas, particularmente la televisión. La cultura escolar basada en el libro y en el manejo de la lengua escrita comenzó a competir con la imagen y la pantalla. Más recientemente, las tecnologías de la comunicación, con su enorme potencial para acumular y transmitir información, colocaron a la escuela y a los docentes en un lugar subalterno desde el punto de vista de su dinamismo para transmitir informaciones y conocimientos socialmente significativos. Estos cambios tecnológicos fueron concomitantes con un proceso de crisis general de la autoridad de los adultos para transmitir contenidos culturales. Los clásicos estudios de Margaret Mead[42] a comienzos de la década de

---

42. Mead, M. (1997). *Cultura y compromiso. El mensaje de la nueva generación*. Barcelona: Gedisa.

1970 sobre este tema, fueron una lúcida anticipación de lo que hoy se percibe como rasgo fundamental de la cultura del nuevo capitalismo: concentración en el presente, desaparición de la distinción entre adultos y no-adultos, déficit de sentido para dar significado a la transmisión intergeneracional. La literatura sobre el "malestar docente"[43] da cuenta de estos fenómenos y de su impacto en las representaciones sociales acerca de la profesión docente pero también en las propias representaciones que los docentes tienen de si mismos y de su ejercicio profesional.

En este resumen de las principales dimensiones del análisis sobre el desempeño docente es necesario incorporar lo relativo al *vínculo entre desempeño y resultados de aprendizaje de los alumnos.* Si bien ya se ha superado la visión que atribuía a los docentes la "culpa" por los malos resultados, es innegable que existe una fuerte preocupación por las dificultades que tiene la escuela para romper el determinismo social de los resultados de aprendizaje. Dicha preocupación se acrecienta en aquellos contextos donde se realizan esfuerzos significativos para mejorar los insumos materiales del aprendizaje (tiempo, infraestructura, equipamiento, textos, etc.) o se implementan reformas institucionales (descentralización, autonomía a las escuelas, evaluación y medición de resultados, etc.), pero no se advierten impactos equivalentes sobre la brecha entre los resultados de los alumnos según su origen social. Los estudios sobre casos exitosos en contextos desfavorables muestran la importancia crucial que asumen un conjunto de rasgos vinculados a variables subjetivas de los docentes. Entre esos rasgos se destacan la confianza en la capacidad de aprendizaje de los alumnos, la existencia de un proyecto o de una idea clara del sentido de la acción docente, el compromiso y la responsabilidad por los resultados.

Al respecto, es interesante recordar los resultados de un estudio sobre políticas inclusivas en varios países de América Latina. En ese trabajo[44] se analizan programas llevados a cabo en Argentina, México, Colombia, Uruguay, El Salvador. Cuando se analiza el tema del reclutamiento docente, se puede apreciar que los programas tienen una serie de expectativas con respecto al desempeño docente –compromiso con el aprendizaje, manejo de distintas estrategias didácticas, confianza en la capacidad de aprendizaje de los alumnos que viven en condiciones de vulnerabilidad, capacidad de vincularse con las familias, etc.– muy difíciles de encontrar entre los candidatos. Sin embargo, estas características son, o deberían ser, comunes a todos los docentes independientemente del contexto en el cual vayan a desempeñarse. Ante la ausencia de candidatos, los programas tuvieron que adoptar estrategias alternativas: reclutar

---

43. Esteve, J.M. (1994). *El malestar docente.* Barcelona: Paidós.

44. Terigi, F. (Coord.) (2009). *Segmentación urbana y educación en América Latina. El reto de la inclusión escolar.* Madrid: Fundación Iberoamericana para la Educación, la Ciencia y la Cultura.

estudiantes de magisterio, estudiantes universitarios, jóvenes que terminaron su escolaridad básica pero que abandonaron sus estudios por razones económicas, etc.

La relevancia de estos factores en la explicación de la efectividad docente permite una *revisión crítica acerca de la pertinencia de buena parte del saber pedagógico.* Muchos estudios recientes ponen de relieve la disociación que existe entre los postulados teóricos y las prácticas de enseñanza. Al respecto, es importante mencionar uno de los resultados más interesantes del Informe Talis (Estudio Internacional sobre enseñanza y aprendizaje) llevado a cabo por la OCDE en 23 países[45]. Dicho estudio muestra que si bien en el plano de las teorías predomina entre los docentes el enfoque "constructivista" basado en la participación activa del alumno en el proceso de aprendizaje, cuando se analizan las prácticas reales en el aula, los docentes utilizan preferentemente los enfoques tradicionales.

La docencia debe ser una de las profesiones donde existe una distancia tan significativa entre los contenidos de la formación y las exigencias para el desempeño. Las explicaciones que intentan dar cuenta de este fenómeno giran habitualmente alrededor de la hipótesis según la cual esta disociación está asociada a las limitaciones de los sistemas educativos para incorporar prácticas pedagógicas participativas. Más recientemente, en cambio, han comenzado a postularse explicaciones que interpelan a las teorías y a su escasa fertilidad para inspirar prácticas pedagógicas efectivas. La discusión de este fenómeno está promoviendo el desarrollo de visiones muy escépticas acerca del saber pedagógico. Al respecto, vale la pena recordar una vez más el diálogo de G. Steiner y una profesora de filosofía de un colegio secundario francés[46]. En un momento del diálogo, la profesora menciona sus dificultades para manejar técnicas pedagógicas que permitan obtener buenos resultados con jóvenes de barrios pobres de París a pesar de que jamás había podido tener acceso a tantos libros de pedagogía, cursos de formación y materiales didácticos como en los últimos años. Frente a esta declaración de impotencia pedagógica, Steiner recuerda la famosa frase de Goethe: "El que sabe hacer, hace. El que no sabe hacer, enseña" y luego agrega, como contribución propia a esta visión denigratoria de la tarea educativa: "El que no sabe enseñar, escribe manuales de pedagogía".

Lo más paradójico de esta situación es que, cuando he mencionado este diálogo frente a auditorios compuestos mayoritariamente por docentes, la reacción ha sido el aplauso o la carcajada. ¿Qué ha pasado para que un intelectual de la talla de George

---

45. OCDE (2009). *Informe Talis. La creación de entornos eficaces de enseñanza y aprendizaje. Síntesis de los primeros resultados.* Madrid: OCDE-Santillana.

46. Steiner, G. et Ladjali, C. (2003). *Eloge de la transmission. Le maitre et l'élève.* Paris: A. Michel.

Steiner tenga tal opinión de la pedagogía y de los pedagogos y cómo se explica la aprobación o las risas por parte de los docentes?

Las explicaciones de este fenómeno pueden apoyarse en hipótesis muy diferentes: abusos en el uso de ciertos principios, deficiencias en la formación profesional para la utilización eficaz de las estrategias pedagógicas, crisis en la cultura externa a la escuela que provoca falta de motivación por el aprendizaje y muchas otras más. Sin negar validez a estas explicaciones, creo que deberíamos prestar atención a un fenómeno que me parece estar en la base de este "fracaso" de la pedagogía: *la profunda disociación que se ha producido entre teoría pedagógica y práctica de la enseñanza*. A través de muchos testimonios podemos constatar que sectores cada vez mas numerosos de docentes comienzan a desarrollar un sentimiento anti-teoría. Identifican la teoría pedagógica con principios abstractos sin ninguna vigencia ni aplicación en las condiciones reales en las cuales ellos desarrollan su actividad. En el mejor de los casos, pueden crear prácticas empíricas eficaces, pero sin un apoyo teórico que justifique esa eficacia y permita transferir los resultados. Por el otro lado, en cambio, las universidades y centros de investigación pedagógica avanzan en el desarrollo de teorías que, al no ser aplicadas en la realidad, se empobrecen en su propio desarrollo teórico.

3. LOS DOCENTES Y LA CULTURA POSTMODERNA

Este resumen de hallazgos sobre las principales características del desempeño docente puede ser aceptado como una *descripción,* obviamente parcial, de la situación de los docentes. Es necesario, sin embargo, intentar una *explicación* que nos permita enriquecer esa descripción y comprender más adecuadamente lo que está sucediendo. La profundidad así como la cobertura relativamente universal de los fenómenos descriptos hasta aquí no permite dar explicaciones de corto alcance. Parece pertinente y necesario colocar esta explicación en el marco general de las transformaciones sociales por las cuales atraviesa la sociedad y que han provocado la crisis de los dispositivos institucionales y de los actores sociales propios de la sociedad moderna y del capitalismo industrial.

Los análisis histórico-sociales muestran que la escuela, particularmente la escuela pública y obligatoria, y el maestro, fueron la respuesta a las necesidades derivadas de la disolución del orden tradicional y de la creación de los Estados Nacionales. Durante el siglo XIX y buena parte del siglo XX el sentido social de la educación fue básicamente político. La educación, a través de la creación de los sistemas escolares obligatorios, tuvo la función de formar homogéneamente a los ciudadanos, mientras que los niveles superiores del sistema formaban a las elites dirigentes. Desde la segunda mitad del siglo xx hasta casi su finalización, el sentido de la educación estuvo definido por la economía. La educación fue concebida como la agencia responsable de la formación de los recursos humanos necesarios para el desarrollo económico y social. Las últimas décadas, en cambio, se caracterizaron por una suerte de déficit de sentido, por ausencia de perspectivas de mediano y largo plazo. Las discusiones educativas se focalizaron en los procedimientos (evaluación, autonomía, descentralización, financiamiento, etc.), como si estas modalidades de gestión fueran fines en sí mismos.

Este fenómeno no fue patrimonio del debate educativo sino que se extendió al conjunto de la dinámica social. Nadie mejor que Richard Sennett[47] para señalar los rasgos principales de la cultura del nuevo capitalismo. Según sus análisis, uno de esos rasgos es la ausencia de sentido, la concentración en el presente, en el *aquí y ahora,* en el *nada a largo plazo.* La educación es el lugar donde se expresan más concretamente las consecuencias sociales de la prioridad al presente, ya que se supone que la tarea educativa consiste en transmitir el patrimonio cultural y en preparar para un determinado futuro. Si el patrimonio cultural carece de vigencia y el futuro es incierto, se erosionan los pilares fundamentales sobre los cuales se apoya la misión, las instituciones y los papeles de los actores del proceso pedagógico, tanto escolares como no escolares. Existe un serio peligro político que el déficit de sentido sea ocupado por visiones fundamentalistas o de individualismo a-social. Frente a estas opciones, es necesario postular una alternativa basada en la idea –o en el ideal– de la justicia.

Sostener que, en el futuro, el vínculo entre educación y sociedad estará definido por el ideal de justicia constituye, obviamente, una toma de posición ético-política. La base de esta propuesta radica en el hecho que no existen posibilidades de inclusión social sin una educación de buena calidad. A diferencia del pasado, donde era posible incluirse socialmente ya sea en el trabajo o en la comunidad, sin haber alcanzado niveles altos de educación, en el futuro tanto el desempeño productivo como el desempeño ciudadano y la propia construcción de nuestras identidades como sujetos, exigirán el manejo de los códigos básicos de la modernidad (lectura, escritura, alfabetización científica y digital, segunda lengua) así como los valores centrales de solidaridad, respeto al diferente, conciencia y responsabilidad ecológica. Desde este punto de vista, la educación estará en el centro de las estrategias de construcción de sociedades justas a través de dos grandes pilares: en términos sociales y políticos, *aprender a vivir juntos* y, en términos cognitivos, *aprender a aprender.* Ambos pilares están íntimamente asociados, ya que el objetivo principal de la educación será lograr procesos cognitivos a través de los cuales las personas incorporen los valores

---

47. Sennett, R. (2006*). La cultura del nuevo capitalismo.* Barcelona: Anagrama.

de vinculación democrática, solidaria y respetuosa con los otros. En el marco de esta articulación entre ambos pilares, parece pertinente analizar cada uno de ellos por separado para especificar los componentes principales del compromiso docente.

3.1. El compromiso social

Aprender a vivir juntos supone asumir el desafío de construir una sociedad en la cual existan niveles muy altos de solidaridad, de cohesión, de responsabilidad tanto intra como intergeneracional. El gran interrogante consiste en saber si la meta de construir una sociedad con esas características puede tener la potencialidad suficiente como para generar los niveles de adhesión que puedan contrarrestar las tendencias a la injusticia que provienen del mercado y de las tentaciones de dominación y control cultural.

La adhesión a la construcción de una sociedad justa es un tema central en la definición del futuro. Siguiendo los análisis de A. Giddens[48], es posible postular la hipótesis según la cual la adhesión que requiere la construcción de una sociedad justa es una adhesión *reflexiva*. El nuevo capitalismo tiene grados muy bajos de solidaridad orgánica y requiere de los ciudadanos un comportamiento basado mucho más en información y en adhesión voluntaria que los requeridos por el capitalismo industrial o por las sociedades tradicionales. Pero reflexividad no es sinónimo de racionalidad ni de comportamiento basado exclusivamente en el predominio de la dimensión cognitiva. La adhesión a la justicia demanda una reflexividad en la cual hay un lugar importante para la emoción[49]. No son pocos los acontecimientos históricos trascendentales que provocó la lucha por la justicia que sólo se explican por la fuerte adhesión emocional que ella puede suscitar. Lo novedoso, sin embargo, es la particular articulación que hoy exige la adhesión emocional y ética a la justicia, con el conocimiento y la información que ella exige para su desarrollo.

Lo cierto es que adherir a la idea de sociedad justa es hoy mucho más exigente en términos cognitivos y emocionales que en el pasado. Al respecto, resulta pertinente retomar el planteo de Habermas[50], para quien los ciudadanos se ven —y se verán

---

48. Giddens, A. (1997). *Consecuencias de la modernidad*. Madrid: Alianza.

49. Un análisis de la articulación entre racionalidad y respuestas emocionales en el comportamiento político puede encontrarse en el libro de Manuel Castells *Comunicación y poder*. Madrid: Alianza, 2009, Cap. 3.

50. Habermas, J. (2002). *L'avenir de la nature humaine. Vers un eugénisme libéral?* París: Gallimard. 2002.

cada vez más en el futuro– confrontados con cuestiones cuyo peso moral supera ampliamente las cuestiones políticas tradicionales. Estamos, según Habermas, ante la necesidad de moralizar la especie humana. El desafío que tenemos por delante es el de preservar las condiciones sobre las cuales se basa nuestro reconocimiento de que actuamos como personas autónomas, como autores responsables de nuestra historia y de nuestra vida.

Reflexionar sobre la adhesión a la justicia como requisito para el desempeño docente no implica personalizar la responsabilidad por el diseño de una escuela justa. Es evidente que existen dispositivos institucionales para garantizar la justicia en el sistema educativo (sistemas de evaluación, criterios de distribución de los alumnos, asignación de recursos, etc.), pero estos dispositivos institucionales sólo serán aplicados si el sentido de la justicia forma parte de la cultura profesional de los actores que habitan en esas instituciones.

En esta tarea debemos enfrentar una tradición histórica paradojal. Los discursos que más enfatizaron el ideal de justicia social fueron los que subestimaron la importancia de la escuela en la ruptura del determinismo social. El reproductivismo y las pedagogías críticas tendieron a identificar el proceso de enseñanza aprendizaje con las relaciones de dominación. Se subestimaron los efectos sociales de la democratización de la educación y se ideologizaron tanto los contenidos como las modalidades de relación entre docentes y alumnos. Sin duda alguna, estos análisis se apoyaron en factores objetivos propios del funcionamiento del sistema educativo en el contexto del capitalismo y la sociedad moderna, pero es preciso asumir la necesidad de revisar su significado.

Al respecto, me parece importante recordar aquí los resultados de algunos análisis empíricos sobre el impacto de las políticas de democratización educativa. E. Maurin[51] ofreció recientemente una visión de este impacto en Francia y otros países europeos que muestra la complejidad de los efectos de la expansión de la cobertura escolar. En síntesis y para los efectos de nuestro análisis, esos resultados indican que hoy más que nunca el resultado escolar define la trayectoria social de las personas. Esta centralidad de la educación explica algunos comportamientos –particularmente de los sectores sociales más favorecidos– para diferenciarse del resto a través de la privatización, la segmentación de los circuitos de escolaridad. Lo que está claro a través de estos estudios es que el éxito o el fracaso escolar hoy son un factor crucial en la vida de las personas. El gran interrogante es el que se refiere a cómo se traduce

---

51. Maurin, E. (2009). *La peur du déclassement; Une sociologie des récessions.* Paris, Seuil: La République des Idées.

esta centralidad de la educación con respecto a la justicia social en la subjetividad de los actores del proceso pedagógico.

No parece casual, por ello, que tengan tanto éxito algunos análisis que reivindican el papel tradicional de los maestros en la determinación de los destinos vitales de las personas. Mientras los análisis *sobre la escuela* marcan el fin de las visiones "nostálgicas" basadas en el modelo del sacerdocio, del apostolado o del funcionario del Estado para referirse al docente, visiones más literarias *de la escuela* vuelven a reivindicar esta figura y a movilizar afectivamente tanto a los educadores como a las familias. Sólo dos referencias entre muchas otras. George Steiner, en su obra Lecciones de los Maestros[52], traza una visión histórica de los modelos de relación maestro-alumno, pero pone el énfasis en el impacto negativo que puede tener un maestro no responsable del impacto de su tarea.

En palabras de Steiner, "Enseñar con seriedad es poner las manos en lo que tiene de más vital un ser humano. Es buscar acceso a la carne viva, a lo más íntimo de la integridad de un niño o de un adulto. Un maestro invade, irrumpe, puede arrasar con el fin de limpiar y reconstruir. Una enseñanza deficiente, una rutina pedagógica, un estilo de instrucción que, conscientemente o no, sea cínico en sus metas meramente utilitarias, son destructivas. Arrancan de raíz la esperanza. La mala enseñanza es, casi literalmente, asesina y, metafóricamente, un pecado. Disminuye al alumno, reduce a la gris inanidad el motivo que se presenta. Instila en la sensibilidad del niño o del adulto el más corrosivo de los ácidos, el aburrimiento, el gas metano del hastío. Millones de personas han matado las matemáticas, la poesía, el pensamiento lógico con una enseñanza muerta y la vengativa mediocridad, acaso subconsciente, de unos pedagogos frustrados. Las estampas de Moliere son implacables". (26)

En términos diferentes, es posible evocar el libro de Daniel Pennac[53], que pone de manifiesto el carácter "salvador" que puede tener el maestro, particularmente con los alumnos mediocres. La pregunta de Pennac es ¿a quien salvamos?, ¿Quién se acuerda de nosotros y nos identifica como importantes en su vida por alguna razón?. Lo interesante de estos testimonios es que, además de la conciencia sobre la importancia de la tarea, reivindican prácticas pedagógicas consideradas tradicionales: dictado, memoria, exigencias de rigor y de respeto a las normas, etc. Esta nueva significación de prácticas vinculadas al proceso de enseñanza-aprendizaje permite articular el compromiso con la justicia social con el compromiso con el conocimiento.

---

52. Steiner, G. (2003). *Lecciones de los maestros*. Madrid: Siruela.
53. Pennac, D. (2008). *Mal de escuela*. Barcelona: Mondadori.

3.2. El compromiso con el conocimiento

Desde el punto de vista cognitivo, la educación (y los docentes) enfrentan el desafío de enseñar el oficio de aprender. Los pronósticos acerca de la importancia creciente que asumirá la función de aprender a aprender en la educación del futuro, se basan en dos de las características más importantes de la sociedad moderna:

a) La significativa velocidad que ha adquirido la producción de conocimientos.

b) La posibilidad de acceder a un enorme volumen de información.

A diferencia del pasado, los conocimientos e informaciones adquiridos en el período de formación inicial en las escuelas o universidades no permitirán a las personas desempeñarse por un largo período de su vida activa. La obsolescencia será cada vez más rápida, obligando a procesos de reconversión profesional permanente a lo largo de toda la vida. Pero además de la significativa velocidad en la producción de conocimientos, también existe ahora la posibilidad de acceder a una cantidad enorme de informaciones y de datos que nos obligan a seleccionar, a organizar, a procesar la información, para que podamos utilizarla.

En estas condiciones y para decirlo rápidamente, la educación ya no podrá estar dirigida solamente a la transmisión de conocimientos y de informaciones sino a desarrollar la capacidad de producirlos y de utilizarlos. Este cambio de objetivos está en la base de las actuales tendencias pedagógicas, que ponen el acento en los fenómenos *meta-curriculares*. David Perkins, por ejemplo, nos llama la atención acerca de la necesidad de distinguir dos tipos de conocimientos: los de orden inferior y los de orden superior. Los primeros son los conocimientos sobre determinadas áreas de la realidad. Los de orden superior son conocimientos sobre el conocimiento. El concepto de meta-currículum se refiere precisamente al conocimiento de orden superior: conocimientos acerca de como obtener conocimientos, acerca de como pensar correctamente, acerca de nociones tales como hipótesis y prueba, etc. [54].

Si el objetivo de la educación consiste en transmitir estos conocimientos de orden superior, el papel de los docentes no puede seguir siendo el mismo que en el pasado. Su función se resume, desde este punto de vista, en la tarea de enseñar el *oficio de aprender*, lo cual se contrapone al actual modelo de funcionamiento de la relación entre profesor y alumno, donde el alumno no aprende las operaciones cognitivas des-

---

54. Ver, por ejemplo, Perkins, D. (1995). *La escuela inteligente; Del adiestramiento de la memoria a la educación de la mente.* Barcelona: Gedisa. MacLure, S. y Davies, P. (1995*). Aprender a pensar, pensar en aprender.* Barcelona: Gedisa.

tinadas a producir más conocimiento sino las operaciones que permiten triunfar en el proceso escolar. En el modelo actual, el *oficio de alumno* está basado en una dosis muy alta de instrumentalismo, dirigido a obtener los mejores resultados posibles de acuerdo a los criterios de evaluación, muchas veces implícitos, de los profesores.

¿En qué consiste el oficio de aprender? Al respecto, es interesante constatar que los autores que están trabajando sobre este concepto evocan la metáfora del aprendizaje tradicional de los oficios, basado en la relación entre el experto y el novicio. Pero a diferencia de los oficios tradicionales, lo que distingue al experto del novicio en el proceso de aprender a aprender es la manera como encuentran, retienen, comprenden y operan sobre el saber, en el proceso de resolución de un determinado problema.

A partir de esta pareja "experto-novicio", el papel del docente se define como el un "acompañante cognitivo". En el proceso clásico de aprendizaje de determinados oficios, el procedimiento utilizado por el maestro es visible y observable. El maestro muestra cómo se hacen las cosas. En el aprendizaje escolar, en cambio, estos procedimientos están ocultos y el maestro debe ser capaz de *exteriorizar un proceso mental* generalmente implícito. El "acompañante cognitivo" debe, por ello, desarrollar una batería de actividades destinadas a hacer explícitos los comportamientos implícitos de los expertos, de manera tal que el alumno pueda observarlos, compararlos con sus propios modos de pensar, para luego –poco a poco– ponerlos en práctica con la ayuda del maestro y de los otros alumnos[55]. En síntesis, pasar del estado de novicio al estado de experto consiste en incorporar las operaciones que permiten tener posibilidades y alternativas más amplias de comprensión y solución de problemas.

El concepto de "acompañante cognitivo" permite apreciar los cambios en el rol del maestro o del profesor como *modelo*. En el esquema clásico de análisis de la profesión docente, el perfil "ideal" del docente era definido a partir de rasgos de personalidad ajenos a la práctica cotidiana de la enseñanza. En este nuevo enfoque, en cambio, el docente puede desempeñar el papel de modelo desde el punto de vista del propio proceso de aprendizaje.

La *modelización* del docente consistiría, de acuerdo a este enfoque, en poner de manifiesto la forma cómo un experto desarrolla su actividad, de manera tal que los alumnos puedan observar y construir un modelo conceptual de los procesos necesarios para cumplir con una determinada tarea. Se trata, en consecuencia, de exteriorizar aquello que habitualmente es tácito e implícito[56]. Desde este punto de vista, es posible explicar el valor de algunas operaciones cognitivas tradicionales, tales como

---

55. Delacôte, G. (1996). *Savoir apprendre; Les nouvelles méthodes*. París: Odile Jacob.
56. Ídem, pag 159.

la memorización, la repetición o la copia. Esas operaciones son pedagógicamente negativas si no comprendemos el lugar que ocupan en el proceso de aprender, si son ejecutadas como fines en si mismo. Si el alumno comprende el sentido y el lugar de esas operaciones en el proceso complejo de dominar el oficio de aprender, su significado cambia sustancialmente. Los ejemplos más clásicos de este fenómeno son los vinculados con el aprendizaje de la música o el deporte, donde la repetición y los automatismos son fundamentales para poder ser creativos.

Por otra parte, desde el momento que la tarea de enseñar no se reduce a transmitir conocimientos e informaciones de una disciplina –la historia, por ejemplo– sino las operaciones que definen el trabajo del historiador, la dicotomía entre la enseñanza y el trabajo científico tiende a reducirse. Este enfoque implica, obviamente, un esfuerzo mucho mayor en el proceso de aprendizaje, tanto por parte del profesor como de los alumnos y abre una serie muy importante de problemas para la formación inicial de los profesores, sus modalidades de trabajo pedagógico, sus criterios de evaluación y los materiales didácticos.

Este "modelo" de profesor no exterioriza sólo las operaciones cognitivas. El maestro artesano también transmite emociones con respecto al trabajo, fundamentalmente la pasión por la tarea bien realizada, la preocupación por el aprendizaje del alumno y el valor del conocimiento. La recuperación del vínculo maestro-aprendiz ha sido recientemente el objeto de análisis de Richard Sennet en su libro sobre el artesano. Al respecto, me parece pertinente agregar que en las condiciones y exigencias actuales, el maestro artesano no puede ser concebido como un actor individual. La tarea exige trabajo en equipo, en procesos de largo plazo, que exigen un profesionalismo colectivo.

4. REFLEXIÓN FINAL

Postular que el compromiso con la justicia social y el conocimiento deben formar parte de la cultura profesional docente no constituye ninguna novedad. Se trata, paradójicamente, de recuperar las mejores tradiciones del papel del maestro en la sociedad. Las novedades deben ser encontradas en la definición de las mejores estrategias para lograr este objetivo, particularmente en condiciones de masividad. Al respecto, es necesario postular la necesidad de enfoques sistémicos, que abarquen tanto los procesos de formación inicial y continua de los profesores como las condiciones de trabajo y los dispositivos institucionales. Como en muchos otros aspectos, el punto clave son los formadores de docentes. En ellos, en la producción académica, en el saber profesional, se encuentra una de las claves principales de este desafío.

Capítulo XVI
LAS EVALUACIONES INTERNACIONALES. EL GRAN DESCUBRIMIENTO MEDIÁTICO DEL SIGLO XXI

Pedro Badía Alcalá
Director del periódico *Escuela*

Los medios de comunicación escritos, audiovisuales e Internet son los principales soportes para la difusión de la información, y también lo son en las evaluaciones del sistema educativo escolar, aunque como dice el profesor Pedro Ravela, "la educación es un sector de la realidad social en el que no es fácil construir noticias que atraigan al público".

El tema de las evaluaciones es nuevo en los medios de comunicación y tiene la suficiente complejidad como para que reflexionemos sobre cómo deben las instituciones elaborar una información tan compleja como es la derivada de las evaluaciones; y también sobre cómo deben los medios abordar los resultados de la evaluación y cómo hacerlos llegar a la opinión pública. Las evaluaciones internacionales y nacionales son el gran hallazgo periodístico del siglo XXI.

Los ejemplos más cercanos lo tenemos en PISA y el Informe TALIS, siglas en inglés del Estudio Internacional sobre Enseñanza y Aprendizaje de la OCDE realizado en 23 países, entre ellos España. Y en el ámbito nacional la Evaluación General de Diagnóstico (EGD) realizada por el Ministerio de Educación a través de una muestra a nivel nacional de 29.000 alumnos y alumnas de 4º de Primaria de 887 centros; junto a ellos participaron 25.741 familias, 1.350 profesores y 875 equipos directivos. Sus resultados se presentaron en el mes de junio de 2010. Tomaremos como referencia PISA y en menor medida TALIS.

El Programa Internacional para la Evaluación de los Alumnos (PISA) de la OCDE es una prueba internacional que se realiza en la institución escolar a grupos de 15 niños seleccionados al azar. PISA se desarrolla en los 30 países de la OCDE y un número cada vez mayor de países asociados (en el 2006, 27), lo que hace un total de 57 países. No cabe duda de que esta prueba es el estudio comparativo internacional más importante de la enseñanza y con mayor impacto político, social y mediático.

Según el "Manual de PISA 2006 de la Internacional de la Educación", la opinión pública quiere saber "qué se cuece en educación" y los gobiernos quieren mostrar "avances en la enseñanza" a sus electores. "PISA representa un instrumento interesante para ambos grupos". Y además es un buen tema de noticias para los medios de comunicación, que desempeñan –o deberían hacerlo– un papel crítico en la mediación del debate sobre los resultados del estudio entre los dos grupos sociales antes mencionados. Esto hace que la prensa escrita, audiovisual e Internet adquieran una responsabilidad especial. Esta importante responsabilidad social tendría que verse reflejada en un código ético y de buenas prácticas en el que se debería fundamentar el trabajo de los periodistas, estableciendo principios como dar voz a quien no la tiene, presentar opiniones contrapuestas, distinguir entre promover e informar, no simplificar en exceso o interpretar erróneamente, y contrastar la veracidad de la información. Pero la aplicación de estos principios es en muchas ocasiones más un deseo que una realidad.

No debemos olvidar que PISA no es un fenómeno aislado sino que cada vez más se extiende una tendencia de trabajo que intenta investigar basándose en las pruebas, y esta circunstancia tiene un papel central en los debates que sobre las políticas educativas se celebran en los países miembros de la OCDE y en otros muchos. Pruebas que cristalizan en resultados concretos y que cada vez tienen más influencia sobre la manera en que entendemos la educación.

Las pruebas no son productos sólo de los investigadores, sino que inciden directamente sobre ellas el aprendizaje especializado, las revisiones de los expertos, el intercambio de información entre gobiernos; entre entidades privadas y entre agentes sociales. Esta situación nueva ha hecho que muchos piensen que la política debe incorporar el paradigma "de lo que funciona". Es la política basada en las pruebas, que en algunos casos se puede considerar un planteamiento postideológico, en el que la evidencia toma cada vez más importancia en la toma de decisiones y donde el pragmatismo sustituye en cierta medida a la ideología.

La Internacional de la Educación –agrupa a la mayoría de los sindicatos de la enseñanza del mundo– observa que "alrededor del mundo, hemos sido testigos de cambios en el modo de formular políticas y en los procesos de toma de decisiones políticas. Uno de los cambios más importantes es el papel de la política basada en las pruebas". David Blunkett, antiguo Ministro de Educación británico del Partido Laborista, señaló en 2002 que:

"Las ciencias sociales deben situarse en el centro de la política. Es precisa una revolución en las relaciones entre el gobierno y la comunidad de investigadores sociales, necesitamos que los científicos sociales nos ayuden a determinar qué es lo

que funciona y por qué, y qué tipos de iniciativa política serán probablemente más efectivos".

Lo que importa es lo que funciona y uno de los factores que define aquello que funciona es la efectividad, que en la actualidad se ha convertido en una de las mayores preocupaciones para muchos gobiernos. Investigadores y académicos, políticos, economistas y gobiernos tanto socialdemócratas como conservadores y liberales, consideran que en muchos estados se ha alcanzado ya un nivel fiscal que no permite aumentar más los impuestos; por esta razón se exige que las inversiones sean más precisas y los objetivos mejor seleccionados. Si se desea mejorar la prestación de servicios públicos tan importantes como la educación, la única opción es que la inversión sea más efectiva. Esto ha fomentado una cultura del rendimiento en la que los gobiernos, a través de políticas fundamentadas en los indicadores, que surgen en el campo de la economía y en las evaluaciones normalizadas, tratan de comprender tanto lo que funciona como aquello que no funciona y por qué no funciona. La globalización y los mercados financieros y de trabajo tan exigentes promovidos en torno al precio y a la efectividad han intensificado estas tendencias y estos procesos. Es el escenario ideal donde ha ido prosperando la demanda de pruebas para orientar, en muchos casos, las políticas educativas.

TALIS no es una prueba ajena al escenario relatado. Analiza la medida en que los profesores de la primera etapa de la Enseñanza Secundaria se consideran preparados para enfrentarse a los desafíos que se les presentan, así como el clima en el aula, la percepción de su trabajo, si creen que tienen incidencia o no en los niños y en los jóvenes algunas de sus preocupaciones y sugerencias. Pues bien, la mayoría de la prensa escrita, audiovisual e Internet en España fijó sus titulares en que al menos uno de cada cuatro profesores pierde un 30% de su tiempo lectivo por la conducta perturbadora de los alumnos y alumnas o por las tareas administrativas, ignorando otra conclusión, en el caso de España, cuanto menos inquietante como es que más de la mitad del profesorado no es evaluado.

El curso 2009-2010 inició su andadura con la presentación del Informe de la OCDE *Panorama de la educación 2009*, un informe cuyos datos han venido como agua de mayo para que la agenda educativa se haga notar públicamente con información catastrofista de indudable contenido ideológico, y también económico. A pesar de que el Informe reconoce los avances conseguidos por el sistema educativo español, los titulares de prensa van desde el "España, bajo mínimos en educación" del diario *ABC*, pasando por la "Educación no despega" de *La Vanguardia*, hasta los más benévolos como puedan ser los de *El País*:"El agujero educativo es menos profundo", o *Cinco Días*: "La educación española avanza pero no llega". Por su parte, la prensa especializada ha destacado el aumento del fracaso escolar en el sistema educativo español. Es imposible analizar con detenimiento y objetividad los resultados que arrojan los datos con el ruido de fondo político y mediático que existe en España.

De estos tres ejemplos que de forma breve he expuesto, y de las repercusiones que ha tenido sobre la opinión pública su tratamiento mediático cabe deducir que la información catastrofista y los titulares fuertemente adjetivados para nada ayudan a movilizar a la comunidad educativa, porque nada le aporta a la hora de entender mejor lo que sucede en el sector de la enseñanza ni cuáles son los grandes retos de la educación en el futuro.

En general se puede afirmar que queda mucho por recorrer, tanto en la mejora de la calidad técnica de los sistemas de evaluación, como en el uso político que se da de los mismos para la mejora de la acción educativa, como de la difusión que los medios realizan de los resultados finales.

La sociedad en general, padres y madres, muchos políticos e incluso una mayoría amplia del profesorado acceden a los resultados de las evaluaciones a través de la información que aparece en los medios de comunicación. Estoy convencido de que son muchas más las personas informadas por la prensa que directamente por los documentos originales editados desde las instituciones competentes en el tema.

La complejidad de los resultados de las evaluaciones educativas, las limitaciones técnicas que algunos sistemas tienen y la falta de referente, por parte de la opinión pública y los periodistas, para interpretar correctamente la información, hacen que estos resultados no tengan el impacto deseado ni consigan movilizar a los diferentes sectores para que se involucren en la mejora de la calidad de la educación.

Por el contrario, los efectos que generalmente están teniendo la forma de difusión de los resultados de evaluación son la búsqueda de posibles culpables políticos, el descrédito del sistema educativo público y un sentimiento de impotencia por parte de la comunidad educativa que responde a la idea de que "da lo mismo lo que se haga porque no llegamos a ninguna parte".

La prensa tiende a destacar lo negativo, a desinformar, voluntaria o involuntariamente, en ocasiones a distorsionar a través de la información los resultados de las evaluaciones y las valoraciones sobre el sistema educativo. Incluso cuando la información pretende ser objetiva e incorpora tablas y datos estadísticos, tanto los títulos como los subtítulos están fuertemente adjetivados. Existe una peligrosa cultura de los titulares que enturbia la información objetiva y, en consecuencia, la realidad que se intenta explicar. Simplifica las conclusiones y recomendaciones. Fija en forma de dogma las opiniones más peregrinas que adquieren carácter de verdad absoluta para el sector de la población que tiene como medio de cabecera un determinado periódico, una determinada radio o una televisión concreta.

Escribe Miguel Ángel Santos Guerra, catedrático de Didáctica de la Universidad de Málaga, en el artículo "Los peligros de la evaluación", *Cuadernos de Pedagogía* número 397: "Vivimos en la cultura de los titulares. Hay quien vive intelectual, social y políticamente de los titulares de prensa. En ellos bebe y de ellos se nutre. Nunca va más allá del impacto causado por las frases que abren los periódicos. Como se comprenderá, esto es muy peligroso. Porque los titulares no lo pueden explicar todo. Porque los titulares constituyen una forma peculiar de filtrar la realidad. Porque los titulares suelen escribirse para causar un golpe de efecto, cuando no para servir a los intereses espurios de quien los escribe". Y continúa: "El problema es que los titulares crean estado de opinión (…) Porque se suele comprar el periódico que está en la línea de la propia línea argumental y porque vivimos en un mundo de fragmentos informativos y de atención voluble". Y concluye: "¿Qué piensa el gran público de los resultados de las evaluaciones? Lo que han dicho los titulares de prensa. No es que no haya leído el informe, es que no ha leído ni siquiera los artículos que desarrollan los titulares".

Aunque no se puede ser ingenuo. Al igual que en otros ámbitos de la educación, también en el de las evaluaciones, el discurso más conservador y más simple ha invadido la información periodística, y también la tendencia a manipular y a utilizar de manera torticera la información y el titular correspondiente.

Para muchos medios de comunicación tienen mayor peso otros intereses, bien relacionados con la venta en sí del medio, lo que lleva al sensacionalismo informativo; bien relacionados con posturas políticas y partidistas, lo que lleva a utilizar los datos con la finalidad exclusiva de estigmatizar ante la opinión pública las políticas educativas del gobierno de turno, independientemente de que éstas sean más o menos buenas, regulares o malas, o de ensalzarlas ante la opinión pública. En este sentido, el Manual de PISA 2006 de la Internacional de la Educación advierte que "los medios de comunicación pueden simplificar la información contenida en tablas comparativas y convertirla en una liga de clasificación de países. Los mismos datos pueden ser utilizados por los políticos para sus programas. Una de las lecciones extraídas tras revisar la experiencia PISA 2003 es que los ministros de Educación y sus asesores, que conocen de antemano el informe, tratarán de adornar la información para adaptarla a sus propios fines".

¿Qué razones lógicas y motivaciones hay detrás de esta manera de encarar las noticias sobre las evaluaciones educativas?

El profesor Pedro Ravela indica cuatro tipos de factores que se entrecruzan para generar este fenómeno:

— Una dosis importante de sensacionalismo al servicio de la venta del medio de prensa. Añadiría, por mi parte, que priman los intereses comerciales. Las noticias sensacionalistas o poco comunes atraen un mayor número de lectores y espectadores. Esto coloca a la educación en una posición muy vulnerable, ya que muchas veces sólo se informa sobre temas educativos si se trata de malas noticias, o si de alguna manera son excepcionales o polémicas.

— El desconocimiento del tema de la evaluación educativa por parte de los periodistas. Añadiría que la falta de conocimientos especializados es un problema más que serio en el campo de la educación. Tradicionalmente la educación no ha sido considerada por los periodistas como una fuente de trabajo. Por otra parte, la formación generalista que adquieren en las facultades de periodismo hace que los conocimientos más especializados los adquieran a través de la práctica pura y dura, en un mundillo como el de los medios de comunicación donde la educación no es una prioridad en la agenda informativa.

— El inadecuado tratamiento de la información sobre los resultados de las evaluaciones por parte de los propios Ministerios de Educación. En este sentido, completaría la afirmación del profesor Ravela indicando que las políticas de comunicación con objetivos, contenidos y métodos de trabajo resueltas en estrategias concretas son poco habituales en la Administración pública y especialmente en los ministerios de Educación. Y este déficit se acusa en momentos como la presentación de resultados de las evaluaciones internacionales y nacionales.

— La dimensión política que atraviesa la actividad educativa —para bien y para mal—, lo que incluye las posturas políticas y/o visiones sobre la educación del periodista, del medio de comunicación y de otros actores que actúan como columnistas o tienen espacios en el medio, así como el uso político de los resultados por parte de las propias autoridades educativas, tanto del gobierno como de la oposición como de la comunidad educativa (asociaciones de padres, de alumnos, sindicatos profesionales, etc.)

— Finalmente, cuando los resultados educativos no son tan malos o incluso son buenos, la prensa suele desentenderse de ellos: ya no son noticia. De nuevo nos encontramos con la constante macabra: ¿qué es noticia, qué no lo es?

Periodistas, docentes, alumnos y padres y madres tenemos que reflexionar y dialogar sobre la importancia de las evaluaciones y su difusión para que ayuden a mejorar los problemas del sistema educativo y a promover un debate social más informado y ordenado.

La comunidad educativa, los sindicatos, las asociaciones de padres y madres, los alumnos deben establecer una suerte de alianza con al menos una parte de los medios de comunicación con el fin de desarrollar una labor de difusión pública, lo más profesional y didáctica posible y en los momentos oportunos, para que una mayor cantidad de ciudadanos se informen sobre el estado de la educación y se interesen por ella. Y, sobre todo, sientan confianza en el sistema público de educación.

Los medios de comunicación son muy importantes a la hora de transmitir confianza en el sistema educativo. Una confianza que hay que "construir y preservar" (Pedro Ravela). Para el buen funcionamiento de las escuelas y de los institutos la confianza es muy importante. Escribe el profesor Ravela que "en el sector educativo la confianza es tan importante como en el sector económico y financiero". Y continúa: "no es posible educar en un contexto en el que las autoridades desconfían radicalmente de los docentes; los docentes desconfían de las autoridades educativas, sean del partido que sean; las familias desconfían de las escuelas a las que envían a sus hijos y de los docentes que están a su cargo; la opinión pública desconfía de las instituciones educativas en general".

La comunidad educativa debe trazar alianzas y estrategias con los medios de comunicación para que el tratamiento de la información sobre la evaluación, las noticias catastrofistas y los titulares sensacionalistas no minen la confianza de la sociedad en el sistema público de educación.